落合陽一
日本再興戦略

YOICHI OCHIAI

日本再興戦略

人間存在や国家ビジョンなどの我々のアイデンティティに関わる分野を聖域的にとらえ、それらからすればテクノロジーを些細な一分野であるような見方をする人々もいます。しかしながら我々はテクノロジーによって知を外在化し、生活を拡張し、人間存在それ自体の自己認識を更新し続けてきたのです。

テクノロジーという人の営みが生んだ文化を見直し、テクノロジーが刷新する人間性や文化的価値観を考慮することは、これからの人の営みにおいて不可欠であり、自然の中から生まれた人間存在は、人間が生み出したテクノロジーによる新たな自然を構成することで自らの存在や定義という殻を破り、更新されうると僕は考えています。

日本再興戦略　目次

第4章 日本再興のグランドデザイン

第5章 政治（国防・外交・民主主義・リーダー）

第6章 教育 203

第7章 会社・仕事・コミュニティ 221

装幀　トサカデザイン（戸倉 巌、小酒保子）
構成　佐々木紀彦（NewsPicks）
編集　箕輪厚介（幻冬舎）

はじめに：なぜ今、僕は日本再興戦略を語るのか？

「欧米」という概念を見直す

今の日本は、自虐的な批評に飽きて自信を喪失している気がします。そこで過度に自信をつくろうとして、内部的には「日本はすごい」と自画自賛するコンテンツばかりになってしまっています。日本が自信を取り戻すためにまず大事なことは、「過去において日本は根本的に何がすごかったのか、何がすごくなかったのか」について我々の常識を更新しながら考えることです。

たとえば「マイホームという制度」[*1]とそのローンは成長戦略のひとつでした。なぜ、そして、どこがすごいかというと、最初に頭金を払った後に、数十年間もお金を払い続けるという形で、家計から自動的に所得が差し引かれる仕組みをつくり出したからです。それは、金融の「仕組み」として「すごい」ものです。

田中角栄の日本列島改造論も前時代に意味を持った成長戦略です。タイムスケジュールを引き、産業創造[*2]と資金確保を同時に行うことで、日本列島というすごく行き来がしにくい土地に、道路と鉄道を敷いていって、どこでも移動可能にしたからです。これは人口増加ボーナス[*3]にシナジー（相乗効果）を起こす戦略として理にかなったものでしょう。日本の政策が官僚主体なのも、テクニカルイノベーション[*4]の旗手であるはずの高等研究教育機関[*5]が官営[*6]だったのも、明治期や戦後のグランドデザイン[*7]に大きな意味を持ちました。

こうした話は、個別のモノ[*8]やソフトウェア[*9]がすごいという話ではありません。全体のスキーム、仕組みがすごいという話です。今の日本は、そうしたスキームとしての面白さをもう一度取り戻さないといけません。

そもそも、日本は国策によって急激に近代化を果たした国です。明治時代以降に我々が手本にしたのは、いわゆる欧米型といわれる欧州型と米国型でした。明治維新では、主に欧州型を手本にして、１９４５年以降は、米国主導で、戦勝国型を手本にして国をつくってきました。この欧州型と米国型が合わさって、「欧米」という概念になったわけですが、それをもう一度見直してみるのもこの本の趣旨です。

「欧米」なんてものが本当にあるのか？「欧州型」「米国型」とは具体的に何を意味するのか？　それについては第1章で詳しく問いたいと思います。

我々は今、デザイン[*10]にしても教育にしても、あまつさえ効果不明な健康法すらも無秩序に「日本はだめで、何々に見習え」と言うばかりで、考え方の基軸がありません。我々はいったい何を継承してきて、何を継承していないのか。それを正確に把握した上で、今後勃興するテクノロジー[11]との親和性を考えていかないと、日本を再興することはできません。

日本にも考える基軸は絶対にあるはずです。我々は他の国に引けを取らない長い歴史を持ち、歴史の中で何度もイノベーションを起こしてきました。たとえば幕末や明治の変革を起こした若い人たちは、時代の変革点において、自分の頭を使って、考える基軸をつくり出し、それを共有した上で行動を起こそうとしていました。たとえば吉田松陰[12]は29歳で亡くなっていますが、当時、できてからわずか数年の私塾にすぎないにもかかわらず、彼の思想は大きな影響力を世の中に与えましたし、現代にも引き継がれています。その徹底的な現場に即した生活と議論は高杉晋作[13]や伊藤博文[14]などの多くの傑物を育て、明治期の変革を生み出しました。吉田松陰が残した「狂え」[15]というメッセージは、当時の時代の変化が今の我々の対面している計算機時代と同様、並大抵のものではなかったことを示しているようです。

１９４５年以降の日本は、足並みをそろえ、官僚がトップダウン[16]で政策をつくった世界だったので、一個人は自分の考えを明確に持たなくてもいいように道筋が立っていました。しかし今、我々は個人の時代[17]を迎えています。日本の取るべきスキームや、個人の能力のスキルセットが大きく転換しようとしているのです。

そんな時代においては、考えるための道筋がないとフレームがつくれません。旧世代[18]の教育を受けた人々が今後の世界に適応するために「どうやってものを考えたらいいか」という基盤を習得しないと、国も企業も個人も新しい時代を生き抜けません。文脈は世界と向き合うのに必要です。第2章では、「日本とは何か」「日本人とは何か」を歴史から考えていきます。

高度経済成長の3点セット

今、「日本を何とかしないといけない」という思いを多くの人が持っているはずです。そのために何をすべきか、という解決策も見えてきています。でも、それだけでは日本は変わりません。日本を再興するため、世界を理解するために重要なのは「意識改革」です。集団に対する処方箋としての教育とテクノロジー、それを通貫するビジョンが必要なのです。

とにかく今の日本人の意識は相当にネガティブです。「日本はイノベーティブじゃない」「一人当たりの生産性が低い」といった話ばかりですが、今の社会システムのあり方だったら、生産性が低いのは当たり前です。我々の教育は、人に言われたことをやるのに特化していて、新しいことを始めるのには特化していないからです。しかし、それで良かったのです。むしろそのほうが近代的工業生産社会[*19]では優位に立てたのです。だって、近代以前の個別に尖った創造性社会を無個性で共通認識のある訓練された集団へ変換するほうが、マス[21]を解体するより難しいと思いませんか？

これまでのシステムは、大量生産型の工業社会、たとえばトヨタの車をつくるのには向いていましたし、ソニーのテレビをつくるのには向いていました。みなが均質な教育を受けていて、何も言わなくても足並みがそろうからです。不良品が少なく、コミュニケーションコストが低く、同調によって幸せ感を演出できる社会は非常にうまくデザインされていたといえるでしょう。幸せは演出され、成長は計画されてきたのです。

ただし今は、工場が本質的に機械知能化されていっています。スマホ[22]のように、高集積[23]で人間が関与することの難しいものに関しては、その作業工程で人は足並みをそろえる必要がありません。少数の生産性の高いデザ[24]インチームと作業機械への親和性があればいい。しかし、ある程度のサイズを持ち、人が機械とともに働くような工程で作られるもの、たとえば車の場合は、溶接の後に塗装があり、組み立てのラインでは、かなり細かい作業が求められるため、人が関わる必要がありますが、スマホはほとんど機械だけで作れます。車づくりにはぴったりだった日本の教育が、時代に合わなくなっているのです。

結局、高度経済成長の正体とは、「均[25]一な教育」「住[26]宅ローン」「[27]マスメディアによる消費者購買行動」の3点セットだと僕は考えています。つまり、国民に均一な教育を与えた上で、住宅ローンにより家計のお金の自由を奪い、マスメディア[28]による世論操作[29]を行い、新しい需要を喚起していくという戦略です。

物質的には豊かになっていった高度経済成長の時代において、これは別に悪い戦略ではなく、むしろいい戦略でした。ただし、今の状況でこの戦略を続けていくと、日本人一人当たりの生産性はどんどん下がっていきます。機械親和性[30]が低く、代替性の高い人類を生産する仕組みだからです。今のシステムでは、日本でやる必要がないことも日本でやってしまうし、働く必要のない人を高給で雇わないといけなくなるからです。これは、隠蔽体質[31]、炎上気質[32]、パワハラ[33]、いじめ、残業などあらゆる労働問題に絡んできます。このように機能しなくなったシステムを見直して、新たな価値が生まれるシステムをつくり直さないといけないのです。

そうした新しい戦略を日本のみなさんに伝えることは、今の僕の義務だと思っています。なぜなら、普段から、国立大学法人[34]で教育に携わって、自分の企業を経営して、アーティストとして芸術作品を生み出し、国際会議[35]や論文誌[36]で研究を発表し、プロダクト作りに関わるテクノロジーとデザインに詳しい人間は、日本に僕を含め数人程度しかいないからです。各分野の専門家はいるのですが、教育と研究と経営とアートとものづくりをどれもやっている人はとてもレアです。そして、その兼任も機械親和性によります。

これらの分野は一見、相性が悪そうですが、実は、一人の人間がこれらのすべてに習熟すると、シナジーが生まれてきます。つまり前述したそのどれもが、日本がかつて幾度となく再興[37]されてきた中で、通貫[38]されたピースであったように思えるのです。

たとえば、アーティスティックな価値観や考え方は、経営者が持っているべき素質のひとつです。それがないと、人が時間をかけてつくったものや、深い価値のあるものを正しく評価することができません。複雑性[39]の高い価値を認めなければ、社会への価値を深く理解することは難しい。それはときに、アートのパラダイムすら更新します。

加えて、自分で会社を経営している人間にとって、自分の会社で取引したい企業をつくり出すような人材や自分の会社で採用したい人材を育てるのはすごく重要なことです。教育論と経営論はビジョンの共有という意味で近くシナジーがありますし、アートも教育にはなくてはならないものです。また、研究と経営も密接に関係しています。ビジネスディベロップメントがない研究はお金にならないし、研究なき開発はすぐコモディティ化[40]します。研究自体を続けることができなくなります。これは今の日本の研究環境の凄惨な状況が投げかけている本質的な問題のひとつなのです。両義性を考えなくてはならないのです。

そして、教育・研究・経営・アートのすべてに影響を与えるのがテクノロジーです。AI、AR・VR、5G（第5世代移動通信システム）、ブロックチェーンなどのテクノロジーは、これから世界を大きく変えていきます。これらのテクノロジーの本質を理解していないと、日本再興戦略を描くことはできません。第3章では、テクノロジーは日本と世界をどう変えるのか、新しいテクノロジーを日本はどう生かしていくべきか、というテーマを詳しく考えていきます。

落合陽一の3つの再興戦略

これからの日本再興のために大切なのは、各分野の戦略をひとつずつ変えるのではなく、全体でパッケージとして変えていくことです。そのために、僕は個人として今、この国の社会に、そして世界に貢献するために、3つの戦略を持っています。

ひとつ目は、経営者として社会に対してより良い企業経営をすることです。

僕が経営するピクシーダストテクノロジーズは、トヨタ系やソニーといった名だたる日本企業と一緒にイノベーション開発を手掛けています。僕らのコンピューテーショナルな最先端技術や少数精鋭の企業体としてのフットワークの軽さと、大企業の持つ製造ライン、交渉力、営業能力を組み合わせることによって、今までとは違うスタイルのイノベーション開発を目指しています。

2つ目は、メディアアーティストとしての活動です。

メディアについて考えるのは、文化について考えることでもあります。日本の文化は本当に多様です。昭和以降の文化と明治時代の文化には大きな違いがありますし、明治と江戸も全然違います。鎌倉時代と室町時代と戦国時代にも異なる美的感覚があります。たとえば、世阿弥[*41]が生まれるまでは、仕手[*42]や花[*43]、幽玄[*44]という考え方が美の中心に現れて来ることは稀ですし、本居宣長[*45]が問い返すまで『枕草子[*46]』などの文学が持つ意味は今と異なっていました。つまり、われわれの美的感覚は頻繁にアップデートされているのです。

絢爛[*47]だった平安時代に対して、鎌倉時代はとても質素です。国が違うぐらい文化が違います。日本の文化の中でも、中国文化を踏襲したものもあれば、そこから禅[*48]、わび[*49]、さび[*50]のように日本独自の発展を遂げたものもあれば、絢爛な精神性、つまり世阿弥の絢爛な精神性は持ちつつ、表面には出てこない能面[*51]のような概念もあったりします。日本文化も各時代でいろいろと変わってきていますので、それをもう一回ほじくりかえしたり、こねまわしたりしないと、本来のクールジャパン[*52]の素地、正体がわかりません。

3つ目は、大学での活動です。

今僕は筑波大学では准教授に加えて、学長補佐を務めていますが、学長補佐室というのは学長直下の組織として、大学の未来のビジョンを打ち立て運営を考える組織です。国立大学では、大学運営に関わっている人はほんのわずかです。筑波大学などの大型国立大学法人は、職員数約５０００人、学生数約1万人の巨大組織なのですが、経営層は40人程度しかいません。しかも一部の理事や監事は非常勤です。従業員1万人の会社で役員クラスが40人しかいないようなものですから、意思決定にまつわる責任は大きいです。つまるところ、学長はほぼ大統領に近い存在なのです。ビジョンを考える補佐室が必要です。

僕は29歳で学長補佐室の一員になりましたので、そこから見るビジョンは非常に遠くに据える必要があります。なぜなら筑波大学にいようと思えば、定年まであと30年間い続けることができます。もし定年が延びたら、２０５０年まで大学にいるかもしれません。30年は偉大な長さですから、その間に、日本の大学はどうあるべきかを考えて、グランドデザインすること、そして今、見える数十年先を明確にイメージしてコミットすることが自らの責務だと思っています。それと同時に、教員としては、世界レベルの研究をし続けないといけませんし、その中で次の時代を担う若者たちを育てていかなくてはなりません。

大学経営の立ち位置と、教員の立ち位置があって、それをどちらも考えないといけない僕の今のポジションでは、教育と研究と大学経営を密接に考えることができます。そこから教育の再興戦略を考えたとき、ほかの人にはない視座が出てくるのではないかと思っています。

かつて、科学雑誌『Nature』の別冊『Nature Index』で僕が表紙になったことがあるのですが、そのときのタイトルは、「BRIGHT SPARKS NEEDED」でした。BRIGHTは「賢い」、SPARKSは「ひらめく人」という意味ですから、「賢い上にひらめきがある天才が必要だ」ということです。実は、そのタイトルの下に小さい文字で「National reforms seek new way to innovative success」と書かれていました。「National reforms」とは国家の再興戦略ということです。つまり、新しいイノベーションへの方法論を探れる賢い天才が必要だということです。それをしなければ、国家主導のイノベーションと教育を行ってきた日本の研究・教育組織は、国際競争力を取り戻すことができない。

僕自身、研究者として、その新しい方法論を探す一翼を担っていますし、学長補佐として、大学の未来を考えるポジションにも立っています。その立場を生かして、アクロバティックに大学を変えながら、自分のポジションも変えていこうと思っています。

今の日本は、経済と教育と文化と技術が密接に結びついたエコシステムを考えることが求められています。しかしながら、それを行っている同世代が非常に少ないため、今回、僕なりの考えを提言してみます。普段の書き物は英語論文が多いので、日本語では読みにくいし、まとまった活動を表現しないのですが、この本では、なるべく注釈だけで説明を終わらせることなく、文章中で解説し、平易な日本語を心がけています。

第4章では、人口減少・少子高齢化が進む日本におけるグランドデザインを描き、第5章以降は、経済、仕事、政治、国防、教育、メディア、リーダーなどの切り口から、日本再興戦略を語っていきます。この視座は、我々日本の背景を知り、世界を見るために必要です。

このまま高度経済成長モデルに拘泥し、「欧米」という幻想を追い続けていては、日本は再興できません。しかし、意識改革を行い、正しい戦略にのっとって動けば、日本を再興することは難しくありません。我々はいつの時代もそれを行ってきたのです。明治にも昭和にも。そして、平成の次の元号の変化にも合わせてやり切らないといけないことでしょう。僕の座右の銘は「変わり続けることを変えず、作り続けることをやめない」ですが、最近気に入っているフレーズがあります。「指数関数的成長にとって、全ての点は、いつでも始まったばかりだ」というフレーズです。人口減少は人類史上稀有な大チャンスです。テクノロジーを活用し、西洋的人間観を更新し、我々が今まで刷り込まれた知識をポジティブに更新し、みなで行動していけば、日本の未来はきっと明るく、そして特筆的なグランドデザインとなるでしょう。東洋の自然観はデジタル時代に新たな自然を構築するはずです。

我々の世代の次の一手で、日本のこの長きにわたる停滞は終わり、戦況は好転する。僕はそう確信しています。バックグラウンドとビジョンを拡張し、世界に貢献する。日本にとって、そして世界にとって、今ここが「始まったばかり」なのです。

落合陽一

＊1 **「マイホームという制度」とそのローン**　都会で家を借りるという考えしかなかった時代に、株式会社阪急阪神百貨店の創業者小林一三氏が日本で初めて住宅ローンを組んだことによって、マイホームという高額の商品を購入し、その返済に可処分所得を当てるというモデルが生まれたという意味で使っています。

＊2 **産業創造と資金確保**　ここでは、田中角栄の地域格差の是正を掲げ、町村道を国道にすることなどにより、地方の整備のために必要な財源を大都市住民の税源から使用する角栄モデルの構築を指しています。これにより資金確保をすると同時に地方に高速道路網、新幹線網、本州四国連絡橋など産業創造を実現することに成功しました。

＊3 **人口増加ボーナスにシナジー**　シナジーはもともと経営戦略で、各部門の相乗作用を活用した効果として利益を生み出すことですが、人口増加による経済ボーナスと国土の開発の相互作用についてここでは述べています。

＊4 **イノベーション**　「技術革新」と日本語で訳されたこの言葉は、J・A・シュンペーターが景気循環の長期波動を説明するために用いた概念〈innovation〉の訳語ですが、イノベーションとは単に技術による革新を指す言葉のみではありません。制度上の改革などのソフトウェアを含むという文脈で使っています。

＊5 **高等研究教育機関**　日本の高等教育機関は米国などとは異なり1886年に公布された帝国大学令によって設立された公立の旧制高等教育機関（大学）を元にしています。

＊6 **官営**　殖産興業を推進する明治政府が設立した、公的機関のこと。他には民間の模範となる産業の工場や鉱山。富岡製糸場などを指すこともあります。

＊7 **グランドデザイン**　国家や公的機関など、壮大な図案・設計・着想。長期にわたって遂行される大規模な計画。再興戦略。ここでは明治維新と戦後の2回にわたる大規模変革を指しています。

＊8 **モノ**　この場合は、テクニカルイノベーションのきっかけとなるような研究・製品などの対象物のことを指して文中で使っています。

＊9 **ソフトウェア**　無形のシステムやメソッド。モノが有形であることに対して無形のもの、ハードウェア（有形）を動かすための、的な意味やデザイン、マーケティングなども含んだ広義の

手法論のことを指しています。

＊10 **デザイン**　技術の設計、手法論まで含んだ、意匠のみにとらわれない広義の創造活動の意味で使っています。

＊11 **テクノロジー**　この本ではテクノロジーという言葉を技術要素を伴うもの、こと、ソフトウェア、デザイン、メソッドなどを指す、技術的叡智として広い意味で使っています。

＊12 **吉田松陰**　１８３０〜１８５９。長州藩出身。萩で松下村塾を開き、高杉晋作や伊藤博文、山縣有朋ら維新の人材を多く育てましたが、日米修好通商条約に絡んで幕府を批判して再び投獄され、29歳の若さで安政の大獄で死罪となりました。

＊13 **高杉晋作**　１８３９〜１８６７。江戸時代後期の長州藩士。彼もまた松下村塾で学び、幕末に長州藩の尊王攘夷の志士として活躍しました。奇兵隊など諸隊を創設し、長州藩を倒幕に方向付けました。

＊14 **伊藤博文**　１８４１〜１９０９。長州藩の私塾である松下村塾に学び、幕末期の尊王攘夷・倒幕運動に参加。維新後は薩長の藩閥政権内で力を伸ばし、岩倉使節団の副使、参議兼工部卿、初代兵庫県知事を務め、大日本帝国憲法の起草の中心となりました。初代・第5代・第7代・第10代の内閣総理大臣及び初代枢密院議長、初代貴族院議長、初代韓国統監を歴任しました。

＊15 **狂え**　吉田松陰の遺書とされている留魂録という書物に出てくる一文「諸君、狂いたまえ」から。古川薫著『吉田松陰　留魂録』（講談社学術文庫）２００２年。

＊16 **トップダウン**　市民のニーズから始まるボトムアップとは違い、システムや理論を作る際にまずその目的を達するには何を解決しなければならないかという理想を掲げます。その後、官僚主導で順次具体的なことに近づけていくやり方で問題解決を図る方法です。

＊17 **個人**　これまでは全体の足並みを揃えるような官僚的な教育の下、明確な自分の考えを持たなくても生きていけたが、これからは今まで以上に個人が大事になってきます。誰かが作ったスキームの中で考えるのではなく、個人がどうしたいのかや、何が好きかを主体的に持たなくてはならなくなっていると言えます。

＊18 **旧世代**　時代の転換期に、転換前のスキームの中で人生の大半を生きて教育を受けた人は、過去の成功体験に縛られてしまっています。そのことへの気づきと考え方の根本から見直すため

の基盤の習得が必要になります。

＊19 **近代的工業生産社会**　産業革命以降、機械は均質なモノを大量に生産することを可能にしました。さらに同一規格への憧れをマス・マーケティングなどにより訴求させることで無個性・共通認識の社会を生み出すこととなり、これは同時に生産者も消費者もお互いに没個性に陥ることを意味しています。

＊20 **創造性社会**　それぞれが別々のものを良いと思い、価値を見出す社会。広告費をかけたTV広告などを代表とするマス・マーケティング（大量生産・大量販売・大量プロモーションを前提として、全ての消費者を対象に同じ方法で行うマーケティング）により、同一規格への憧れを訴求することで無個性・共通認識の社会は生み出すことができるが、創造性社会は一人ひとりの眼を養う時間をかけた教育が必要なので、時間もコストもかかります。

＊21 **マス**　大量生産、大量販売、大量プロモーションを前提として、全ての消費者を対象に同じ方法で行うマス・マーケティングの社会の中で、同じ価値観を持つことに慣れてしまった結果、モノの価値を判断できなくなってしまった群衆のことを指します。個別の眼を磨くのはコストも時間もかかるので、逆と比べて楽ではありません。

＊22 **スマホ**　携帯電話と携帯情報端末（ＰＤＡ）を融合した「Smart＝賢い」携帯端末のことです。iPhone の発売日は２００７年の6月29日でした。

＊23 **高集積**　ここでは、スマートフォンという小さい機械の中に高性能の精密機械が詰まっており、人間では組立作業を含め、小さすぎる&高性能すぎて性能・組立の不良を判別不能であるということを表しています。

＊24 **デザインチーム**　組み立て製造する部門と対比しています。性能、形、パーツの配置など、どのような製品を作り上げるのか、コンセプトから製品設計の使用、効率的な製造方法までを考えている部門のことです。

＊25 **均一な教育**　政府が設定したスキームにのっとった、一人の先生対多数の生徒間の座学による教育。日本における義務教育がそれにあたります。これが旧世代的な画一的な視点、価値観で物事を判断する人間を生み出すことへとつながっています。

＊26 **住宅ローン**　宅地の取得や住宅の新築・改築などの目的のために、土地と家屋を担保として銀

行などから資金を借りるローンのこと。サラリーマンの理想の人生のモデルをつくり、収入や生活パターンを元にしてリスク算出が可能でした。

*27 **マスメディアによる消費者購買行動**　広告費をかけたTV広告などを代表とするマス・マーケティング（大量生産・大量販売・大量プロモーションを前提として、全ての消費者を対象に同じ方法で行うマーケティング）により、培われた同一規格への憧れから広告の思惑通りに消費者が、同じものを欲しがり、同一な価値観で物を判断して購買につながっていること。これにより無個性・共通認識の社会へと加速していきます。

*28 **マスメディア**　不特定多数の受け手へ向けての情報伝達手段となる新聞・雑誌・ラジオ放送・テレビ放送などのメディア（媒体）あるいは技術的道具。

*29 **世論操作**　画一的な人生モデルのプロパガンダをマスメディアを通じたテレビドラマや広告などのコンテンツで行い、特定の価値観・モノの視点を多くの大衆に植えつけることで、新たな消費活動へにつなげること。

*30 **機械親和性**　機械を活用しながら業務や問題把握、自分の身体感覚との接続を行って、行動に生かす能力。

*31 **隠蔽体質**　不都合なことは秘匿して外部に漏らすまいとする考え方や組織のありよう。

*32 **炎上気質**　不祥事の発覚や失言などとネット上に判断されたことをきっかけに、非難が殺到し収拾が付かなくなっている事態または状況に陥りやすい人格。

*33 **パワハラ**　職務上の地位や人間関係などの職場内での優位性を背景に、業務の適正な範囲を超えて、精神的・身体的苦痛を与える、または職場環境を悪化させる行為。

*34 **国立大学法人**　日本の国立大学を設置することを目的として、国立大学法人法の規定により設立されている法人。

*35 **国際会議**　僕はＣＨＩやＳＩＧＧＲＡＰＨという国際会議で毎年発表しています。ここでは世界中の多くの研究者により最新のＣＧの論文が発表され、コンピューターの入出力についての技術更新がなされています。

*36 **論文誌**　研究者の執筆した論文を掲載する雑誌。学術分野に応じて極めて多くのタイトルが発行されています。Natureなどが有名です。

＊37 **再興**　衰えていたものがまた興ること。たとえば太平洋戦争後の日本で考えてみるとわかりやすいです。日本は太平洋戦争の敗北による経済活動の荒廃や混乱を一度経験しましたが、1956年に経済白書で「もはや戦後ではない」と言われるほど復興し、その後64年には東京オリンピックを開催するまでとなりました。そしてそのまま高度経済成長へと時代は進んでいきました。

＊38 **通貫**　貫き通すこと。たとえばトヨタは、当初自動織機を作っていた会社でしたが、1933年に自動車部を立ち上げてから自動車会社へと転換し、戦後立ち直った日本の強みを生かし、さらに工夫を加えることでそれを一貫し、今や世界一の自動車メーカーへと成長しました。

＊39 **複雑性**　諸要素間の論理的に可能な結合関係が多数存在し、多様な価値を見出すことができる状態。

＊40 **コモディティ化**　市場参入時に、高付加価値を持っていた商品の市場価値が低下し、一般的な商品になること。

＊41 **世阿弥**　父・観阿弥の後を受けて、能を飛躍的に高め、今日にまで続く基礎を作りました。1400年頃に『風姿花伝』を著します。これは芸術の技術本ではなく、精神について書いている本で、このような本は世界に類を見ません。

＊42 **仕手**　能・狂言で、主人公の役。また、それを演ずる人。

＊43 **花**　一般的には舞台における表現効果、ないしは演出効果としての能芸美ととらえられており、世阿弥はこれを自然の花、草木の花にたとえて、花と呼んだとされています。能役者が観客に与える感動の根源と言われており、能の命とされています。

＊44 **幽玄**　移ろうかすかなこと（幽）、根源的でたしかなこと（玄）で成る日本的美の言語化。

＊45 **本居宣長**　江戸時代の国学者・文献学者・医師。古事記、源氏物語、日本語の研究をし、「もののあはれ」というコンセプトを提示しました。

＊46 **枕草子**　平安時代中期に中宮定子に仕えた女房清少納言により執筆されたと伝わる随筆。

＊47 **絢爛**　目がくらむほどきらびやかで美しいさま。観阿弥・世阿弥時代の装束は、日常の衣服を用いた質素なものだったと言われますが、将軍家をはじめとした武家や貴族階級がパトロンとなり、褒美として自分たちの衣を与えたことから、しだいに豪華なものが用いられるようにな

りました。

＊48 **禅** 仏教の禅宗は、中国から輸入され12世紀の終わりには日本において確立されます。これが当時の武士に受け入れられました。天子が神を祀る、位を譲るなどの意。姿勢を正して坐して心を一つに集中する宗教的修行法の一つ。

＊49 **わび** 貧粗・不足のなかに心の充足を見出そうとする意識で、「わぶ」の名詞形。

＊50 **さび** 閑寂さのなかに、奥深いものや豊かなものがおのずと感じられる美しさを言い、動詞「さぶ」の名詞形。

＊51 **能面** 能楽や一部の神楽で用いられる仮面です。伎楽面や舞楽の仮面などの影響を受けています。

＊52 **クールジャパン** 日本独自の文化が海外で評価を受けている現象、またはその日本文化。クールは冷たいという意味ではなく、洗練された、感じがいい、かっこいい等の意味で使われています。

第1章

欧米とは何か

「欧米」というユートピア

日本の再興戦略を考えるときに、よくある誤りは、明治時代や昭和の初期のことを思い出してしまうことです。あのときと同じように「欧米」、明治にとってのヨーロッパと、昭和にとってのアメリカを見習わないといけない――そう考えること自体が大きな間違いです。

そもそも、「欧米」というものは存在しません。欧州と米国はまったくの別物です。欧州と米国が一緒だと思っている西洋人は誰もいません。「欧米」とはユートピア[*1]（どこにもない場所）であり、日本人の心の中にしかないものです。まずは、この日本人の頭の中にあるバイアスを確認しないと、日本の再興戦略を考えることはできません。

我々は「欧米」という言葉を使うことをとりあえずやめたほうがいい。「欧米」ではなく、米国、英国、ドイツ、フランスというふうに国の単位で語るべきです。また、いつの時代の、どの国か、ということも重要です。そうするだけで、議論がとてもしやすくなります。具体例がなく、普段、何気なく使っているくせに意味を言えない単語が我々の言葉には多すぎる。それは、近代日本語もまた、即席作りの言語だからです。

今の日本のシステムは、イギリス式、アメリカ式、フランス式、ドイツ式が交ざってできています。大学を例に挙げると、日本の大学のもともとの基盤は欧州式[2]ですが、戦後そこにアメリカ式を組み合わせる形になっています。

欧州式の大学は文化的な要素が強く、国家や教授の権限が強い。実際、欧州式の大学では、ひとつの学部や組織に教授は一人しかいません。それに対して、アメリカの大学は市場経済[3]の原理を生かしていますし、教授も多い。賃金の体系も10カ月分＋外部資金と大きく違うのです。

今の日本の大学の問題は、設置理念は欧州式なのに、資金運用などの面だけアメリカ式を取り入れていることです。アメリカ式のように、研究資金[4]を競争によって配分し、今後、共同研究を増やしていくのであれば、大学の構造もアメリカ式にして、大学の雇用を流動的にすべきです。しかし今の日本は、教員の流動性がとても低く、人は動かないのに、資金だけ流動性がある状態になっています。そのひずみが、大学における非正規[5]雇用の急増につながっているのです。

法律にも似たような問題があります。日本の刑法[6]はドイツ式を主に参考にしてつくられていますが、民法[7]はフランス民法が基盤になっています。そして、憲法については、大日本帝国憲法はドイツ憲法を土台としており、日本国憲法は米国式のものになっています。つまり、ドイツとフランスと米国という全然違う国の法律を模範にしているのです。歴史も違えば、考え方も違う。人口の比率もそれに伴う文化形成や合意形成も違うものを交ぜ合わせても、うまく頭を使えば、その時代に「最適化」させることはできるでしょう。しかし、時代が変わったら評価関数が変わり、恐ろしく最適でないものに生まれ変わってしまうことでしょう。

このような継(つ)ぎ接(は)ぎの状態では、それぞれの法律の間で齟齬(そご)が発生するのは当たり前です。今、憲法改正の議論が起きているのは、国防上の問題に限らず、時代の変化に合わせて修正しないといけないところがたくさんあり、予期せぬデッドロックを防ぐためなのです。

農地や生産についても同じことがいえます。戦後、日本は欧州型と米国型を組み合わせて、農地改革をしていったのですが、官僚制をやめて、民生の大規模なグランドデザインを行わないといけない今、それに着手できないほど、農協から流通までステークホルダーの関係性がわけがわからなくなってしまいました。

結局、日本人は、外来的に入ってきたものをすべて「欧米」と呼んで、いろんな分野で各国の方式を組み合わせてきました。そして、いいとこ取りをしたつもりが、時代の変化によって悪いとこ取りになっているケースが目立ってきています。仕方がないのです。時代が変わったのですから、いいとこ取りの旧い最適化モデルを変化させないといけない。

だからこそ、まずは日本が近代化以前に得たもの、日本が近代化以後に得たもの、そして我々が今、適用しないといけないものをしっかり整理することが大切なのです。その上で、欧州のどこを真似するかという議論は一旦やめて、そもそも「日本には何が向いていたのか」、そして「これから何が向いているのか」を、歴史を振り返りながら考えていかないといけないのです。

公平にこだわり、平等にこだわらない日本人

日本の歴史と伝統を冷静に見つめていくと、欧州式の概念の中には、日本には合わないものも多いことがわかります。

その典型例が、平等と公平という概念です。平等とは、対象があってその下で、権利が一様ということです。何かの権利を一カ所に集めて、それを再分配することによって、全員に同じ権利がある状態を指します。それに対して、公平はフェアだということです。システムの中にエラーがないことや、ズルや不正や優遇をしないということです。

平等と公平は全然意味が違いますし、本来関係がありません。たとえば、日本人は、センター試験でカンニングなどの不正が起きると怒るくせに、公教育に地域格差があったり、教育機会の差がある人が同じセンター試験を受けることに対しては無頓着です。センター試験さえ公平に設置され、公正に行われれば、文句を言いません。すなわち、日本人は、

ゲームがフェアであることは意識するけれども、権利が平等であることはあまり意識しないのです。

こうした特徴は、民族的に均質な日本人が以前から持っているものではないかと思います。江戸時代でいうと、代官が片方に寄った裁きをしたら嫌ですし、公正な判断をしてほしいと思うでしょう。その一方で、江戸時代の士農工商という考え方はそもそも権利や地位の平等に反しています。それなのに、当時の社会は、士農工商に対して違和感をさほど抱いていなかったはずです。つまり、ゲーム盤の上の不公正、不公平な裁きは気になるくせに、士農工商のような不平等問題にはあまり目を向けないのです。また、平等になるためには、義務を果たすという観点も抜けがちです。2017年に、補助金の配分問題に関してあれほど騒いでいるのも、「フェアでない形で決まったのではないか」と思う人が多いからでしょう。

平等という点で、日本人に合わないのは「男女平等」です。日本ほど男女差別がある国は珍しいと思います。男女が合コンに行ったり、飲み会に行ったりすると、当たり前のように男性のほうが女性より多く払いますが、あれは性意識の平等感に反します。米国であれば、女性が怒ってもおかしくありません。男女平等という権利意識があれば、男性が女性より多く払うことを、「女性がなめられている」ととらえかねないからです。

日本人は、同じ仕事をしたら、公平にお金を払うということには敏感です。しかし、飲み会では男性が女性より多く払う。これは平等意識が低いからです。ここで僕は日本人の平等意識の低さを批判したいわけではなく、それは、ある程度そのままでいいと思っています。

もし日本が欧州のようにクオータ制を導入して、要職の一定比率を女性にするように法律で定めたとしたら、きっと男性が「公平じゃない」と言ってくるはずです。欧州や米国では社会規範のために正しい施策とされていることでも、日本に合っていないものを無理やり日本に持ってくる必要はありません。それは日本人に向いていないだけの話です。ただし、日本人は公平にはこだわるので、あらゆるものを公平にジャッジすることにはこだわるべきです。つまり男女のどちらにもいえることですが、口先の平等を隠れ蓑にして、必要以上に権力を得ようとする試みには賛同できないと僕は思っています。今日本に求められる平等と公平とは、適材適所をきちんと肯定できるロジックと、それに齟齬が発生した場合に制度自体を変更できるようなフットワークの軽い発想です。つまり、全てを50：50にする間違いの平等意識を正し、最適な割合をつねに探す臨機応変さを制度に組み込むべきなのです。

「西洋的な個人」の時代不適合性

もうひとつ欧州発で日本には向いていないものがあります。それは「近代的個人」です。

日本が近代的個人を目指し始めたのは1860年ごろで、それから150年以上経ちましたが、いまだに日本には「個人」によって成り立つ「国民国家」という感覚が薄いように感じます。むしろ個人に伴う孤独感のほうが強くなっているのではないでしょうか。これも日本人が「個人」を無理に目指してきたからだと思います。

江戸時代には、日本人は長屋に住んで、依存的に生きていました。我々は個人なんてなくても、権利なんて与えられなくても、江戸時代など、対外的には大規模の戦争をせずに生きていたときもありました。戦国時代以降、内戦状態により、「自然」に成り立った地方自治の境界線を保ちながら、その連合国家で何とかうまくやってきたのです。

それなのに、日本は自分から依存を切ってしまいました。個人の持つ意味を理解していないのに、西洋輸入の「個人」ばかりを目指すようになってしまったのです。今では、長屋もないし、団地も減りました。隣の人に醤油を借りることもなくなってしまいました。過去の状態が理想状態であるとは言いませんが、我々は過度に分断されるようになった。そしていつのまにか日本人がバラバラになってしまったのです。

本来、江戸の日本には、100、200、300という複数の職業があって、そのうち何個かの職業を一人が兼任して、みなで助け合いながら、働いてきました。ポートフォリオマネジメントされていたため誰かが技術失業[*8]することはありませんでした。

でも今は、「誰々の職業がＡＩに奪われる」なんて話題ばかりがメディアに出てきます。これからの本質的な問題は、「我々はコミュニティをどう変えたら、次の産業革命を乗り越えられるか」ということなのに、「どの職業が食いっぱぐれるのか」という議論ばかりをしているのです。そうした「ＡＩ脅威論」は、西洋の個人主義の文脈において出てくるものですから、本来[9]の日本人がそうした問いに振り回される必要はありません。これから日本が東洋的な感覚を土台にしてテクノロジーを生かしていくためにも、まずは西洋的個人を超越しなければならないのです。一人がひとつの天職によって生きる世界観に我々はもともと住んでいませんでした。百姓[10]とは１００の生業を持ちうる職業のことです。

そもそも、アジア[11]は昔から、言語によって何かを分断する考えをよしとしません。荘子[12]は言語による二分法でモノを語りません。個人と個人以外、対象と対象以外というように分断する行為は、世界が調和によって成り立っていた安定状態を破壊してしまう行為であると主張しています。つまり、西洋思想の二分法の考え方は、アジア的な安寧に関する感覚、美的感覚や価値観とは合わないのです。

西洋的思想の根底に流れるものは、個[13]人が神を目指す、全[14]能性に近づいていく思想です。人間はどこまで行ったら最強の個人になれるか、神になれるかという勝負です。つねに神と対峙（たいじ）し、神に許しを請う思想です。

それに対して、東洋的思想とは、一言で言うと、自然[15]です。日本人は、どこまで行っても自然の中にある同質性・均質性にひもづいています。森の中から出てきて、律令[16]の「近代政策」をとって前近代化を行ったかと思えば、今度は再び伊勢神宮[17]のようなシステムを持ちうる。自然のエコシステムとの距離感を保ちながら暮らしていくという思想です。

事実、我々は、山林のエコシステムによる文字どおりの自然や、武将[18]による地域での戦闘状態を含むさまざまな自然状態を経由して自然発生的[19]にあらゆる経済をまわしてきて、誰が中心でもないコミュニティをつくってきました。そこにいきなり西洋的なコミュニティ発想を取り入れたり、誰かに局在的な権利を与えたりする必要はなかったのです。つまり、これからの日本人にとっては、西洋的人間性をどうやって超克して、決別し、更新しうるかがすごく重要なのです。過去150年ぐらいにわたって日本が目指してきた、西洋的人間観[20]と文化との齟齬に、どうやって戦いを挑むかという問いに直面しているのです。

このまま西洋的個人を脱却できなければ、いろんなところにひずみが出てきます。今、世界で吹き荒れるポピュリズム[21]や、グローバリゼーション[22]の民主主義の限界を見ればそれは明らかです。マスによる意思決定は非常に難しい。

欧州や米国は、人間個人の権利を最大化しようとしたあげく、結局、「部分と全体の間」を修復できなくなってきてしまいました。個人に平等に権利を与えて、全員が良識ある判断をすると仮定して、一人一票を与えたものの、選挙をしてみたら、全員にとって価値のある判断にはなりませんでした。集団の中で個人はそんなに正しく判断できないのです。ポリティカルコレクトネスのひずみやポピュリズムの台頭は西洋個人主義の限界点を示しているようです。[*23]

では、僕らはどうすべきなのでしょうか。一番シンプルな答えを考えましょう。「僕個人にとって誰に投票するのがいいか」ではなく、重層的に「僕らにとって誰に投票すればいいのだろう」「僕の会社にとって、誰に投票するのが得なんだろう」「僕の学校にとって、誰に投票するのが得なんだろう」と考えたらいいのです。

「個人」として判断することをやめればいいと僕は考えています。個人のためではなく、自らの属する複数のコミュニティの利益を考えて意思決定すればいいのです。これを技術的に解決する余地が、人工知能による統計的判断や最適化にはあると考えています。元来、我々には、西洋的な、依存なき個人に立脚する考え方は戦略的に向いていないのです。いくつものレイヤーやグループに分かれて人生を重層的に生きているわけですから、コミュニティ同士の判断基準を戦わせながら、ときに人間一人の判断を超えた補完技術による意思決定を含めて判断材料にしていけばいいのです。[*24][*25]

「ワークライフバランス」から「ワークアズライフ」へ

西洋的思想と日本の相性の悪さは、仕事観にもあらわれています。今は、ワークライフバランスという言葉が吹き荒れていますが、ワークとライフを二分法で分けること自体が文化的に向いていないのです。日本人は仕事と生活が一体化した「ワークアズライフ」のほうが向いています。無理なく、そして自然に働くのが大切なのです。

日本は歴史的にも、労働者の労働時間が長い国家です。大和朝廷の時代にも、下級役人は長時間労働をしています。1年のうち350日は働いて、そのうち120日が夜勤というような生活です。一方、農民や上級役人などは、生活の中に労働を含む文化を持っています。しかし、それが過労でなかったのはなぜでしょうか？　それはつまり、昔からストレスが少なく、生活の一部として働いていたのです。これは、時間やノルマの労働スタイルで過労すると、心身が持たないことを示している一方で、生産性を上げ切れない理由でもあります。

以前、『WIRED』で、「旅行に行くときもスマホを持っていくとオンとオフの区別がつかないのでよくない」という趣旨の記事があったのですが、これも日本的にはあまり向いていない考え方なのでしょう。オンとオフの区別をつける発想自体がこれからの時代には合いません。無理なく続けられることを、生活の中に入れ込み複数行うのが大切なのです。

日本人は、古来、生活の一部として仕事をしていました。先に述べた百姓という言葉は、農耕主体の社会において100の細かい別々の仕事をしているという意味です。東洋的には、ずっと仕事の中にいながら生きている、そしてそれがストレスなく生活と一致しているのが美しい。むしろオンとオフを切り分けたら、世界は幸せな状態ではなくなるのです。つまり負荷がかかっている状態を容認することになる。無理なくできることを組み合わせて生きていけるようにポートフォリオ設計することが大切なのです。

繰り返しますが、ストレスで死んでしまったら元も子もないので、ストレスがないことが重要です。ただ、本人がストレスを感じていないのであれば、仕事をし続けるのも、旅行先でスマホをいじり続けるのも、別に問題はありません。つねに仕事も日常になったほうが、アップダウンの波がない分、むしろ心身への負荷が低いといえます。

だから、我々が西洋的な「ワークライフバランス」の発想にとらわれる必要はないのです。むしろ、そうした発想のままでいると、日本を再興することはできません。明治時代のときにもいきなり西洋化したのですから、我々は今、いきなり東洋化してもいいのです。これはおそらく歴史の揺り戻しでしょう。個人と集団、自然化と人間中心の間でものを考える中で、今は、自然で集団の時代に突入しているのです。

今の日本は東洋化したほうが、イノベーションがより起きやすくなるはずです。日本人は個人として異端にはなりにくいですが、集団として異端になるのは得意です。個人ではなく、バンドを組んでイノベーションを起こせばいいのです。ラボを作るのもいいし、起業するのもいいし、デザインユニットを始めてもいい。

会社という組織もうまく今の時代にアレンジしなければなりません。会社はそもそもギルドであり、カンパニーです。基本は同業者の組合のようなものであって、人が自由に出入りしやすい、商業的利益に基づいた組織です。重層的・複合的であるべきです。

しかし、日本の会社は、「社会＝ソサエティ」に近いものになってしまいました。社会という言葉の「社」は「やしろ」、「会」は「会合」を意味します。社会とは、中国語では「ある道祖神を集めた会合」という意味なのです。福沢諭吉は当初、ソサエティを「仲間連中」と訳しましたが、それではなじまず「社会」という語が定着しました。

「社会」には宗教上の教義（ドグマ）もイデオロギーもありますので、離脱したいと思っても許されません。日本の会社は社会になってしまったので、会社のために人は過労死するほど働いてしまうのです。ギルドのために人は死にませんが、社会のためには死んでしまうのです。そのイデオロギーは個人の枠組みより長寿命だったりしてしまうからです。

こうした日本の会社のあり方は、たまたま高度経済成長期にはうまくはまったのですが、日本がＩＴをベースにした新しい社会を組み直すとしたら、今の会社は向いていません。会社の語義を、ギルドへと近づけていって、「死にそうになったら、その会社を抜ければいい」と思えるようにしないといけないのです。いくつものギルドを持っていればいいだけの話なのです。一方、日本企業の「長老化」が進んでいるのも確かです。

会社に限らず、今の日本には「閉鎖的なムラ」が多いですが、これをより開かれた「ムラ」、コミュニティにしていかないといけません。封建制度のときは、「ムラ」から動くことも、「ムラ」を変えることもできなかったので、「ムラ」がすごく暗かった。こうした封建制度のような「ムラ」はいまだに日本社会にはあります。

しかし今は、ある程度、「ムラ」を好きに変えることもできますし、「ムラ」を行き来することもできます。身体的に行き来しなくてもインターネットは空間と時間を超えてつながることのできるインフラです。流動的な「ムラ」社会をつくりやすくなっているのです。みんながユダヤ人のコミュニティみたいな、それでいてオープンな「ムラ」です。江戸時代の参勤交代のように、定期的な行ったり来たりを集団で繰り返しながら、日本中を旅してまわればいいのです。つまり、移動と労働とコミュニティの選択性を作るべきです。

今の日本が楽しくないのは、オープンな村の数が少ないままに、各人が個人化して孤独になっているからです。一時、ノマドがブームになりましたが、ノマドと言っている人たちの多くも寂しい人たちです。そこの受け入れのためにシェアオフィスがある種のコミュニティのようになっているのは合点がいきます。

これからの日本に大事なのは、いろんなコミュニティがあって、複数のコミュニティに所属しつつ、そのコミュニティを自由に変えられることです。どのコミュニティを選ぶかは本当に人それぞれです。家族を基盤にしてもいいし、会社を基盤にしてもいいし、地域コミュニティを基盤にしてもいいし、趣味を基盤にしてもいい。ひとつのコミュニティに依存するのではなく、いろんなコミュニティに依存すればいい。そういうふうになれば、日本人の生活や仕事はもっと楽しくなるはずです。ですから、この感覚を共有できる地域経済をつくり出していかなくてはなりません。そのためのビジョンの共有と教育が必要なのです。

「わかりやすさ」の対極にある東洋思想

広い意味で仕事は幸福と深い繋がりがありますが、仕事観だけでなく、現代の幸福観においては、昭和期に日本は西洋の影響を大きく受けています。

幸せという概念は、明治以降の産物です。昔は「幸福」と言っていたのが、「幸せ」になってしまったことで、「ハッピー（幸）&ラッキー（福）」のうち、ラッキーが抜けて、ハッピーだけになってしまいました。西洋的な幸福観は押し付けられたものなのに、今の日本人はメディアの基準に照らし合わせて「とにかく幸せでないといけない」と信じ込むようになってしまいました。何かを求めているけれども、それが足りないという状態は、実は依存症です。別に、自然でいればいいのに、メディアの定義した幸せを探す日々の中で、日本人はいつのまにか「幸せ依存症」になってしまったのです。

「愛」も明治以降に日本に入ってきた概念です。日本人には、きずなは昔からありましたが、愛はありませんでした。愛ときずなの違いとは、愛が熱情的な感情を指す言葉であるのに対して、きずなはステート（状態）であるということです。きずなは状態ですので、それが永遠に続くこともあります。しかし、愛はあくまで感情ですから、熱したり冷めたりで総量が変わっていきます。

たとえば、日本人の伝統的な老夫婦は、「愛している」とは口で言わずに、静かにたたずむイメージがあると思いますが、あれはすごく日本的で、ジャパニーズです。西洋の夫婦関係は、年老いても愛を語る美しさがありますが、きずなそれ自体もまた美しい関係性です。

こうした幸せや愛という概念に限らず、明治時代に生まれた翻訳言葉[*26]が、我々の変な価値観を規定しています。福沢諭吉や西周[*27]をはじめとする知識人たちは明治期に、西洋社会から輸入した概念の訳語をほとんどつくりました。それはものすごい仕事であり、評価できることなのですが、如何(いかん)せん突貫工事でもあるので、時代に合わせて修正する必要がありました。つまり、先人に学び、先人と対話し、我々の思考基盤のアップデートが必要になるのは先人も想定した上で取り組んでいたのでしょう。

しかしながら、それを修正する前に、日本は第二次世界大戦の敗戦国となり再びグランドデザインされてしまいました。日本になじむ西洋との折衷概念が生まれる前に、多くの言葉が再びリセットされてしまったのです。言葉を考え直さないと、われわれは日本再興戦略を組むことができません。このままでは言葉尻だけを追い続けてしまう。「欧米」と言っているうちは、コミュニケーションはできず何も見つけることができないのです。

我々は東洋人なのにもかかわらず、あまりに東洋のことを軽視しすぎです。バックグラウンドにある東洋思想を学ぶべきなのです。東洋思想への理解がないと、「我々は幸福であるべきか」といったコアのない議論にはまってしまうのです。こうした問い自体が、日本のように個人という考え方になじみの薄い世界にはそもそも同様になじまないものです。にもかかわらず、それにとらわれてしまうのです。

西洋的な思想は言葉の定義が明確であり、わかりやすいという魅力がありますが、わかりやすさばかりを求めてはいけません。定義によるわかりやすさの対極にあるのが、仏教や儒教などの東洋思想です。身体知や訓練により行間を読む文化です。

西洋的文法と東洋的文法について考えてみましょう。[28]

たとえば、古代中国の漢文の文章では、まず漢文があって、書き下し文があって、解説文があります。1個目を読んでも何もわからない。2個目を読んでちょっとわかる。3個目を読んでやっとわかる。難しいものは、難しいまま理解していく。修業を積むことで、何とか理解していく――これが語彙ではなく読者の修練を求める東洋の精神なのです。

下手に訳したものを最初に持ってきてわかりやすくしてしまうと、大切なエッセンスがすべて抜け落ちてしまいます。俳句の場合、「古池や蛙飛び込む水の音」は17音しかありません。このコンテクストを理解するためには、東洋文化を理解する必要があります。理解できないのは自分のせいだから、修業しようという精神が求められるのです。わかりにくいものを頑張って勉強することで理解していく――それが東洋的な価値観なのです。言外の意味を修業によって獲得する。それは、言外の意味が参照可能な西洋的文法に対して、内在させようとする仏教的、東洋的文法だと思います。

一方、西洋の精神は、個人主義で、みなが理解する権利があると考えます。もし内容が理解できなければ、「わかりやすくインストラクションしないお前が悪い」という精神なのです。読み手が自分で修業しろ、というのはとんでもないことで、ジャンプなく読み手のところまで降りていかないといけません。こうした点にも、東洋思想と西洋思想には立場上、大きな違いがあるのです。

日本というブロックチェーン的な国家

政治のあり方という点でも、明治以来の西洋的国民国家による中央集権体制は日本には向いていないように思えます。もともと日本というのは、自然発生的な統治機構の更新が起こり、そして、一度集権してグランドデザインを行い、官僚主義的な運営とともに、大抵非中央集権型社会型の安定状態を作ります。たとえば、仮想通貨のビットコインは中央機関がなく、プログラムによってルールが決められるという特徴がありますが、地形や自然というルールが多様な日本はとてもブロックチェーン的です。地方分権による意思決定が向いているのです。地域によって四季も違えば文化も違う、個別の歴史も長い。

日本が地方分権で一番うまくまわったのは、平安時代以前と江戸時代でしょう。とくに明治維新の前の日本は、地方分権の極みのような状態でした。武士という名の公務員の下で各藩は統治されてうまくまわっていました。各藩の内部経済に中央政府が介入しなくても、各藩で再分配がうまく起きていたのです。

しかし、明治以後、日本はヨーロッパナイゼーションとアメリカナイゼーションによって、中央集権化していきました。それまで日本という国民国家の概念はなかったのに、「日本、日本」と言い出したのです。この流れを一回再認識してみると、日本で生きるのはもっと楽になると思います。今、もっとも現実的で効果のある策は、「ローカルの発見」に力を入れていくことです。正しい地方自治、「ムラ」の考えが極めて重要なのです。

たとえば、東京都は国会の方針と違う方針をとってもいい。世界で一番強い都市のひとつ[*29]である東京が、国と違うことを言い、国と異なる方針で動くのは個別最適と全体最適が異なることを示す重要な例になるはずです。東京は日本最大ローカル／もしくはグローバル都市でいいのです。そういう関係にしていけば、地方自治は国に大きな発言力を持つことになる。ほかに、沖縄や北海道などの独自の文化圏を持つ地域が、ある程度政策的に資金的に独立するための方法論を探すのも意味があると思います。もし沖縄が独立したら、僕らの国政意識も今より高まるはずです。

地方自治がどのような形で進むにしろ、自治を行う最適な人口単位は10万人〜100万人ぐらいでしょう。この数字で収まらないと統治するのが難しい。その意味で、もっとも重要[*30]な行政単位は、市や県です。地方くらいに大きくなると、意思決定ができなくなってきます。そうなるとエッジのボケた方法しか行えなくなります。

今後、日本を変えていくときに、最初にやるべきことは、そういった地方自治の首市長連合を組み、時代性とテクノロジーの合わさる点で、今、何が可能か考えることです。地方自治のモデルケースとなる市がどれくらい生まれて、集まれるか。そこに勝負がかかっています。

そうした首市長連合が生まれたら、それは国政よりも価値があります。すでに、その萌芽はあって、つくば市や福岡市といった面白い市が生まれてきています。福岡市の高島宗一郎市長は、市のレベルで起業家を増やしていますが、これはすごいことです。

こうした地方自治の流れを加速させるために大事なのは、自治の範囲を今一度、見直すことです。税は義務で、参政権は権利ですが、今は、義務と権利のバランスがうまく保たれていません。納税と社会参加のバランスが歪んでいます。ふるさと納税は、ある意味で正しく、たとえば今はモノで釣っていますが、そうではなく、自然と税金を払いたいなと思うような地方自治が求められています。つまり、税制や知的財産や議会などのバーチャルな所属が意味を持ちうるメディアになるべきなのです。

そのためにも、地方の議員はその地方在住である必要がないし、一人当たりのコストを下げながら、人の数やコミットメントをバーチャルに増やしたほうがいい。なぜなら、ローカルの問題をローカルに参加意識を持って解決する以外に、僕らが参政意識を持つ理由がないからです。つまり、政治への参画意識は、ローカルな問題でしかないのです。ですから、ローカルな問題ではない話題を、テレビのニュース番組で流しても、すべてが他人事になってしまって、僕らの意思決定に影響を与えません。自分事として問題をとらえることができないのです。

日本人の平等な権利意識を正しく働かせるには、自分の手の届くところを重点的に考えさせるようにしないといけません。そうでないと、中身がよくわからない「イズム」や、不透明な公平性に踊らされるだけになってしまいます。

根本的には、教育制度から変えないと、今の流れは変えられません。今の近代社会を成り立たせる全て[*31]の公教育とはほぼ洗脳に近いものですが、我々は中途半端に個人、自由、平等、人権といった西洋的な理念を押し付けられた結果、個人のビジョンがぼやけてしまいました。今の教育は、「やりがいややりたいことがない」という自己否定意識を持った歪んだ人間を生み出してしまいます。要は、欲しいものをちゃんと選ぶとか、自発的に何か行動するということを練習しないし、それをガマンするように指導するのに、好きなものを見つけることが重要だと言い続けるのは大きな自己矛盾を生み出しうる欠陥であり、自己選択に意味がなく、不安感が募る社会にしてしまっているのです。

教育を変えて日本人の意識を変え、地方自治を強化して、ローカルな問題を自分たちで解決できるようにすること。つまり、帰属意識と参加意識、自分の選択が意味を持っている実感を、それぞれの人々が感じ、相互に依存することから、日本再興は始まっていくのです。

日本型イノベーションを定義する

ここまで、様々な視点から、「欧米」という幻想にとらわれることの誤りを説いてきました。しかし、僕が言いたいのは、欧州や米国から学ぶことを完全にやめるべきということではありません。欧州は文化的に我々とは異なった長い蓄積がありますし、日欧が文化的に精神交流することはものすごく大切です。

ポイントは、日本の原点、向き不向きを見極めた上で、学ぶ価値があることと学ぶ価値のないことを峻別（しゅんべつ）していくことです。アートを考え、新しいものを見つめることです。

たとえば、経済でいうと、欧州の力は大したことはありませんでした。過去30年ぐらい、日本よりもGDPが高い欧州の国はひとつもありませんでした。戦後のグランドデザインによって日本は、生産という点では、明らかに欧州には勝ったのです。日本風の仕組みは、これまで世界が求めてきた産業に対してはうまく機能したのです。しかし、今の産業に対して向いているとは限りません。

今後、我々に必要なのは、今、世界が求めている産業に対応するために、戦後に作られた精神構造を変形させ、またシステムや要素のテクノロジーの更新を同時に行っていくことです。１９４５年に戦争に負けたこともあり、時期的にも相まって戦後は近代的な生産様式をより複雑な工業生産様式にうまく変えることができました。

今の日本は、この工業的な生産様式をＩＴやイノベーションに向いた生産形式へと変えるべきときを迎えています。ＩＴ、イノベーションというと、浮ついて見えるかもしれませんが、要は、フットワークの悪い近代工業生産様式の中で、フットワークの悪い意思決定の部分だけを小さく試して小さく動けるように軽くしていこうという考え方です。

戦後の工場は同じものを大量に安くつくることに集中していましたが、今は、個々人のニーズに合った多様なものを柔軟につくることを求められています。そのためには、頭の部分、つまり、リーダー層や経営層は、相当頭が切れて、世の中のニーズが読めて、フットワーク軽く動ける人にならないといけない。そんな社会スタイルにならないと、日本はＩＴの時代の競争には勝てません。ハードの持つ重さが有利に働いた時代は終わったのです。

企業は大企業である必要もなくて、むしろ小さい会社がたくさん生まれてくることでしょう。製造が得意な大きな会社がひとつあって、[*32]エコシステムを統治していて、その上に何個も[*33]ソフトウェアや[*34]プラットフォームに特化した小さい企業が乗っていくような感じです。

すでにスマホの世界はそうなっています。スマホのエコシステムは、アップルやグーグルが統治していて、その上に、フェイスブックやメルカリやヤフオク！のようなサービスが乗つかっています。アップル、グーグルと、そのエコシステムの中でサービスを行う企業はレイヤーが違います。そうしたサービスを行うレイヤーは、小さい企業でも十分に戦えます。ソニーやトヨタのような垂直統合[*35]は必ずしも必要はありません。そうした小さい企業が次々と生まれて、どんどんイノベーションを起こしていけばいいのです。

僕はこれをよくマンボウの産卵にたとえます。マンボウは10万～１００万個もの卵を産むのですが、その中で成魚になれるのは10～２００匹ぐらいです。成魚になるまでに99％が死ぬのです。つまり、イノベーションはハードモードから始まる。学校の練習とは異なるのです。それでも、何回も産卵し続ければ成魚がどんどん増えていきます。

同様に、日本は新しいイノベーションを生むためのエコシステムをつくらないといけません。欧州型でも、米国型でもない、日本型を定義しないといけないのです。

参考になるモデルは、欧州にも米国にもありません。欧州人は意外にも頭がすごく固いところがあってフットワークが重いので、あまりイノベーションには向いていません。学ぶべきは、シリコンバレー型、シンガポール型、中国深圳（しんせん）型のようなスピード型です。

ちなみに、シリコンバレーは米国ですが、米国一般のロジックで動く場所ではありません。それはこの前の大統領選挙の結果からも見てとれます。シリコンバレーのあるカリフォルニア州では、トランプは圧倒的に不人気でした。しかし、リアルな米国とは、トランプを選んだ米国です。シリコンバレーとは、米国にありながらも、米国平均とは別のロジックで動く場所だと思ったほうがいいのです。

2000年に日本が変われなかった理由

これから日本風のイノベーションエコシステムをつくるには、日本の強みを生かした形で、「イノベーション×〇〇」という組み合わせを考えないといけません。

たとえば、シリコンバレーは「イノベーション×ソフトウエア」[*36]でテクノロジー業界を牛耳っています。中国の深圳は「イノベーション×生産設備」[*37]という特徴を打ち出して、ハードウエアのスタートアップを次々と生み出しています。フランスは最近、「イノベーション×文化」[*38]という組み合わせで、スタートアップ育成に力を入れています。

日本は、トヨタに代表されるように生産は得意です。そして、フランスと同じように長い歴史と文化を持っています。足りないのはIT的なソフトウエアのカルチャーだけです。そこに適応できさえすれば、日本風のイノベーションエコシステムを生むことはできます。日本には蓄積と地の利があるのです。

ただし、このIT変革のところで日本は一番苦しんでいます。日本[*39]は50〜60年くらいに1

回、考え方を大きく変えるのが今までの発展においては重要な国であって、本当は、戦後50〜60年の2000年ごろのタイミングで大きく思考を転換するべきでした。

しかし、ライブドア[*40]の堀江貴文さんが逮捕されたあたりで日本のIT変革の流れは止まってしまいました。アメリカのITバブル[*41]がはじけた後、しばらく経済に大きな影響を与えましたが、今では知らない人は誰もいない程度にアマゾンは日本でも世界でも存在感をどんどん高めています。プラットフォームを考える上で、国産のサービスを守るための障壁[*42]を作ることはとても大切なことなのです。フェイスブックやツイッターが存在感を持つ一方で、ミクシィの存在感が死んでしまいました。日本の00年代のIT政策は、長期的にはやり方がおかしかったのです。

僕らは日本をIT鎖国できなかったせいで、中国のようにアリババ[*43]やテンセントやバイドゥを生むことができませんでした。2000年代の日本は、IT鎖国をした中国をバカにしていてグレートファイアウォール[*44]と揶揄していましたが、結果として中国のほうが正しかったのです。

結局、日本発で生まれた大きなIT企業は楽天とソフトバンクなどの数社ではないでしょうか。もし日本も鎖国していたら、もっと日本発のIT企業が生まれていたはずです。アマゾンが日本に入ってくるときにも、楽天と提携せざるをえなかったはずです。もう今から鎖国をすることはできない以上、日本は鎖国以外の戦略をつくるしかありません。

今振り返って、2000年ごろに日本が変われなかった原因は2つあります。

ひとつ目は、大きな社会変革[*45]を起こすには、まだ伝統的な日本企業が強すぎたのです。2000年当時は世界第2位の経済大国でしたし、米国の半分のGDPがありました。その後、2010年には中国に逆転されて、今では中国のGDPは日本の倍になっています。米国のGDPはもう日本の4倍です。しかも、このまま業態の更新ができないままだと、この差は開くばかりです。過去15年に変われなかったがゆえに、これほどの差がついたということをまず復習しないといけません。

2つ目の原因は、日本人の意識とものの考え方です。日本人の意識が昭和的均質のままだったのです。今なお日本には、昭和の意識が残っていますが、2000年当時は昭和色がもっと濃かったのです。当時も今も、現場レベルでは変わろうとしているのですが、メディアが古くて変わらないので、多くの人が「今のままでいい」と安心してしまうのです。

こうした日本の意識を変えるために大切なのは、日本という国の成り立ちや、過去50〜100年での変化、そして、日本の持っている良さをきちんと理解することです。その前提がないと、業態転換を訴えても何か浮ついて見えてしまいます。

日本のように、フランス並みの歴史があって、中国並みの生産設備を持っていて、アメリカ並みの金融市場がある国というのはまだチャンスがあるのです。その良さを踏まえた上で、今、我々の足かせとなっている、近代的な日本人のものの考え方や、伝統的特性、今足りないものの入手など、更新をしていくべきなのです。

日本は明治のころは欧州に倣い、戦後は米国に倣ってきましたが、今はお手本がどんどん多極化しています。中国にも、シリコンバレーにも、シンガポールにも、フランスにも倣わないといけません。そのためにも、まずは「欧米」という一元化した言葉を捨てないといけないのです。欧米とは何で、具体的に何がよくて、何がよくないか。それを見極める必要があるのです。

「欧米」という言葉を使っている限り、日本人には多様な世界が見えてきません。幕末から明治時代にかけて、福沢諭吉は『西洋事情』[*46]を書いて、西洋に関する知識を日本人に伝えましたが、今は「東洋事情」も必要です。より多様な世界と価値観の更新を日本人に伝えないといけないのです。

たとえば、今のインドは江戸時代の日本に一番似ています。士農工商と同じようなカースト制度があって、そのカースト[*47]が自由経済とうまく折り合いをつけている特殊な事例です。インド型社会は精神性という点で、日本に一番適合しているかもしれません。欧州型、米国型への今までの盲信を自覚し、独自のアジア型社会を創造していくべきときなのです。

平成という破壊の時代を超えて

「欧米」という概念とともに、近年の日本人が振り回されがちなのは、グローバル化という言葉です。グローバル化は、きちっとしたローカルがあることによって成立するものです。ローカルがないままにグローバル化を叫んでも、形から入って結果が生まれなくなる。英語だけがしゃべれて何もできない人が増えるだけです。「グローバル人材に必要なのは英語」と一時期よく言われましたが、グーグル翻訳[*48]がこれだけ進化した時代に、同じことを言えるのでしょうか。

先日も教育関連のカンファレンスで中学生向けに講演したのですが、そのとき、みんなが「英語を勉強する」と言うので僕は違和感を抱きました。そこで、生徒さんに「何のために英語を勉強するの？　英語を学んでどうしても海外の人に伝えたいことがあるの？」と聞いてみたのですが、とくに答えは返ってきませんでした。

発信する内容もないのに、英語を学んでも意味はありません。むしろ、グローバル人材という言葉が広がったことで、グローバルに話ができるトコロテンみたいな人（右から左に流すだけの人）が増えただけで、その分、実はコミュニケーションスピードが遅くなっています。英語だけできて中身のない人を雇うくらいなら、プロの同時通訳に任せたほうが正確ですし、仕事は断然早く進みます。

僕自身も、英語で論文を読み書きしたり、英語でプレゼンや授業をしたり、英語を使うことは多いので、流暢な英語が話せたならと思うこともあります。しかし、ネイティブのように話すことだけを望むのは、「僕が英語ネイティブに生まれればよかったな」と思うのとあんまり変わりません。それはおかしい。

僕は、高校受験のときは英語を勉強しましたが、ＴＯＥＦＬの勉強をしたり、英会話のための勉強をしたことは一度もありません。それでも、ツールとして、英語はわかるし、書けるし、話せます。それは、僕自身が生産者として、英語の論文をたくさん読んで、書いて、英語でしゃべっているからです。重要なのは、英語そのものではなくて、発信すべき内容があるかどうかなのです。

繰り返しですが、「欧米」「グローバル人材」といった、メディアによく出てくる、定義できない言葉によって成り立つふわっとした言説は疑ったほうがいい。日本が２０００年以来、必要としている業態転換に成功するためにも、まずは「欧米」という幻想から解き放たれないといけないのです。

ちょうど平成が終わろうとしている今の時期は、我々のものの考え方を変えるいいタイミングです。我々は、平成という時代を通して、昭和モデルから脱却しないといけないと思いながらも、最後まで脱却できませんでした。昭和モデルをＩＴ化できなかっただけでなく、昭和的なものの重要性を軽視しすぎて、昭和の遺産を食いつぶしてしまいました。昭和を破壊してしまった結果、何が本当に大切なものなのか、わからなくなってしまったのが今の状態です。

平成は先人の遺産を食いつぶしただけで終わろうとしています。ポスト平成の時代に同じ過ちを繰り返してはいけません。そろそろ我々はコアアイデアを持ってクリエーションしないといけないのです。

＊1 **ユートピア**　イギリスの思想家トマス・モアが１５１６年にラテン語で出版した著作『ユートピア』に登場する架空の国家の名前。現実には決して存在しない理想的な社会として描かれました。

＊2 **欧州式**　日本の大学前身組織である帝国大学は、帝国大学令が発布されたことによって設立されました。つまり、国家の影響がとても強いのです。そういう意味で日本の大学の基盤は欧州に近いと言えます。

＊3 **市場経済の原理**　アメリカの大学では、優秀な教授をヘッドハンティングしたり、給与が競争的資金であったりと市場経済的な側面が多々見受けられます。

＊4 **研究資金**　アメリカでは教員、ポスドクの給与のうち、かなりの割合が競争的資金に依存して

います。そのため、外部の競争的資金を獲得できない研究者は、十分な給与を得られないというサバイバル的環境となっています。

＊5 **非正規雇用**　日本では大学院の博士課程を修了したあと、大学や研究機関で任期付きの職に就いている研究員であるポスドクは不安定な身分に置かれ、社会保険も十分に整備されていないなど、待遇もよくない状況にあります。ポスドク問題などと言われています。

＊6 **刑法**　日本の刑法、刑法学は明治時代からドイツの影響を受けて今日に及んでいます。当初、フランス法を元にしようとしましたが、治安法制などの側面から見直され、司法省が再度ドイツ刑法を中心に各国の刑法を参考にしながら、新しい刑法を制定する方針を固めたのです。

＊7 **民法**　現行民法のたたきとなったのが1890年に交付された旧民法。この時に母体となった外国法はフランス民法典です。

＊8 **技術失業**　技術の進歩により労働生産性が上昇することに伴い起こる雇用の喪失。

＊9 **本来の日本人**　西洋の個人主義を取り入れたあとではなく、それ以前の東洋的思想を元に生きていた日本人。

＊10 **百姓**　古代においては、諸々の姓を有する公民という意味でした。つまり一般市民全員を指す言葉だったのです。

＊11 **アジア**　ここでは、西洋的な「二分法」ではなく、釈迦が提示した中道のようにどちらに偏るわけでもなくだが、どちらも恒常的に存在すると考える、というような考え方を持っています。

＊12 **荘子**　無為自然を基本と考えた中国戦国時代に生まれた思想家。道教の始祖の一人とされています。代表的な説話として「胡蝶の夢」があります。

＊13 **個人が神を目指す**　西洋では、個人は神のもとに平等で個人は神に対して直接責任を負うという考え方が主流。抽象的な概念である神は完璧な存在であり、信仰者である個人はそれに近づこうとします。

＊14 **全能性**　ここでは使徒信条にも「天地の創造主、全能の父である神を信じます」とあるように、西洋のキリスト教における神が持っている全能性に触れています。

＊15 **自然**　ここでは、人間を自然と対峙させずに、人間も自然の一つと言う自然との共存的な考え方が東洋的な自然観を示しています。

＊16 **律令**　東アジアでみられる法体系。律は刑法、令は主に行政法ですが、基本的に刑法以外の法に相当します。ここでは、律令を作ることで人が一旦自然から離れて人為的な活動をしている様を表しています。

＊17 **伊勢神宮**　ここでは、律令のような人為的なものの対比として、人間も自然の一部であるという考え方を元に創建された自然神、天照大神を祀っている神社という文脈で示されています。

＊18 **武将による地域での戦闘状態**　ここでは、山林のエコシステムとの対比で、人が争うという極めて非自然的な状況ですが、東洋的自然観ではこれすらも人という自然物によって引き起こされたものであるから自然である、と考えることができるのです。

＊19 **自然発生**　ここでは、日本人が絶対的な神を定義していないがために、全ての事実をただの偶然として受け入れた結果、それを自然発生的ととらえています。

＊20 **西洋的人間観**　人間と自然を完全に二分し、人間を主体とし神の視点や人の視点を作りうる人間観のこと。

＊21 **ポピュリズム**　ここでは、Brexitやトランプ大統領当選などに見られる良識的な判断とおよそ真逆にあるような世の中の流れ。

＊22 **グローバリゼーション**　社会的あるいは経済的な関連が、旧来の国家や地域などの境界を越えて、地球規模に拡大して様々な変化を引き起こす現象のこと。

＊23 **ポリティカルコレクトネス**　政治的・社会的に公正・公平・中立的で、なおかつ差別・偏見が含まれていない表現や用語のこと。

＊24 **人工知能による統計的判断**　人間がそれぞれに相当する情報を区別して大量に読み込ませることで、人工知能に情報を区別する基準を作らせます。そこに未知の情報を読ませ区別させようとすると、その評価基準に照らし合わせて統計的に人工知能は判断する、という文脈で用いています。

＊25 **最適化**　オプティマイゼーション。より効率よく働くようにコンピューターの評価関数を用いて調整を行うこと。

＊26 **翻訳言葉**　明治翻訳言葉が本書では例として挙げられていますが、西洋化に邁進した明治時代は西洋語をもとに多くの日本語が生まれました。その過程では日本にそれ以前には存在しなか

った概念を訳す必要があり、本来の意味を間違えて訳したまま現在まで親しまれてきています。言葉は、時代を反映して見直しが必要だと本書では述べています。

＊27 **西周**　日本の近世から近代にかけて生きた啓蒙思想家。「哲学」「文学」「心理」「物理」「帰納」「演繹」のような、特に学問思想を表す概念を作りました。

＊28 **西洋的文法と東洋的文法**　東洋的文法においては意味が暗黙知として内在しており理解するための修業を必要とします。一方、西洋的文法ではディスカッションにより意見を交わす文化があるために、受け手がわかるような説明が話者に求められます。

＊29 **世界で一番強い都市のひとつ**　２０１５年アメリカのシンクタンクであるブルッキングス研究所より公表された統計によれば、東京は世界の都市の域内総生産（ＧＲＰ、Gross Regional Product）の値が1位です。２０１５年の各国のデータで比較してみると、16位に相当しており、インドネシア、オランダ、トルコを上回る経済規模なのです。そのため、東京都知事の動向は世界からも注目されており、日本の政府とは違った直接選挙制にて選出されること、国政よりも規模が小さい地域であることからスピーディに独自のイニシアティブを強く発揮できると言えます。

＊30 **収まらない**　本文中では域内に住む人口を表しています。行政単位が大きすぎると、多様な価値観のコンセンサスや、域内に抱える問題の優先順位選定に時間がかかります。スピーディーに意思決定を行うためには、市や県の単位が最適だと本書では述べています。

＊31 **全ての公教育とはほぼ洗脳に近いもの**　現在の公教育では、画一的な価値観を身に付けるカリキュラムである一方で、西洋的な自由、平等、人権といった価値観の重要性を学んでいます。しかし、現在のカリキュラムでは、人と違った自分独自の意思決定を学ぶ経験が少なく、結果として自己選択を行う個人の眼や基盤が育っていないと本書では述べています。

＊32 **エコシステム**　全体として依存関係にある生態系のサイクルを表しています。ビジネス分野では特定の業界全体の収益構造を生物学の生態の循環になぞらえています。本書では、人間と自然が共に利益を享受し合いながら共存しているさまを表しています。影響力のある製造業がサイクルのコアとして存在し、その内にさまざまな中小企業が関係してきます。

＊33 **ソフトウェア**　コンピューター分野で何らかの処理を行うコンピューター・プログラムや、さ

らには関連する文書など。本章では、製造工程の流れの中で関連するそれらを示しています。

＊34 **プラットフォーム**　システムにおける動作環境や、基盤。土台となるようなもの。

＊35 **垂直統合**　企業が統合する方法のひとつで、製造過程で異なる工程を担う企業同士が統合すること。

＊36 **イノベーション×ソフトウェア**　ソフトウェアプラットフォームやソフトウェアによってできた資金は、物理的制約を超えて帝国主義時代の植民地支配のようにライセンス利潤を集めます。その豊富な資金力とソフトウェア資産の展開により、新しい価値を生むことが容易になるモデル。

＊37 **イノベーション×生産設備**　生産システムのアウトソーシングがグローバル経済で行われたことにより、生産資金や設備の集中によってできたイノベーションが起こりやすい環境のこと。

＊38 **イノベーション×文化**　文化的な価値が高い伝統芸能にＩＴ技術を導入することで新しい価値が生まれます。初音ミクと歌舞伎のコラボレーションなど。

＊39 **日本は50〜60年くらいに**　明治時代、大正時代、戦後の対比関係を表しています。

＊40 **ライブドア**　株式会社ライブドア（livedoor, Inc.）は、かつて無料でインターネットサービスプロバイダ（ＩＳＰ）サービスを提供していた日本の企業。代表取締役社長ＣＥＯは堀江貴文。

＊41 **ITバブル**　１９９０年代末期から２０００年代初期にかけて、アメリカの市場を中心に起こった、インターネット関連企業の実需投資や株式投資の異常な高潮。

＊42 **障壁**　妨げるもの。じゃま。

＊43 **アリババ**　企業間電子商取引（Ｂ２Ｂ）のオンライン・マーケット（www.alibaba.com, china.alibaba.com, www.alibaba.co.jp）を運営しており、２４０余りの国家・地域にて５３４０万以上の会員を保有する会社。

＊44 **グレートファイアウォール**　金盾と呼ばれている中国政府によるインターネット検閲システム。

＊45 **社会変革を起こすには、まだ伝統的な日本企業が強すぎた**　日本の当時の既存企業の枠組みがまだ売上等十分であり、市場に対して権力を持っていたので当時の市場を無視して、ゼロベースで改善策を行うことが難しかったという文脈を説明しています。

＊46 **『西洋事情』** 福沢諭吉が文明国の６つの秘訣について列挙しています。それは法の下で自由が保障され、人々の宗教には介入せず、技術文学を振興し、学校で人材を教育し、安定的な政治の下で産業を営み、病院や貧院等によって貧民を救済することである、と述べた文脈で我々の社会事情を指す意味でこの単語を引きました。

＊47 **カースト** インドに古来伝わる世襲の階級制度。大きく婆羅門、刹帝利、吠舎、首陀羅に分かれ、それぞれ職業を世襲し、カーストを隔てて通婚したり食事を共にしたりすることを禁じられています。

＊48 **グーグル翻訳** グーグル翻訳は２０１６年の秋にGoogle Neural Machine Translationと呼ばれる新たな翻訳システムを導入し、大幅に翻訳の質をあげてきました。グローバル企業によるプラットフォーム上の翻訳サービスという概念を代表してグーグル翻訳を象徴的に用いています。

第2章

日本とは何か

日本の統治構造を考える

日本とは何か。我々は何を日本だと思っているのか。その問いを考えるにあたり、まずは古代の日本を振り返るのがいいのではないかと思います。

日本人は近代学校教育で歴史を学ぶときに、昔話として習ってしまうので、歴史が今の日本や世界認識にどのような影響を与えているかをまったく意識していません。しかし、日本の歴史は現代を生きる我々の土台になっています。このブラックボックス化は、我々が立つべき地点を隠してしまう。均質性の中で歴史を作ってきたことへの無理解は後の拝金主義や同調圧力につながっているように思います。

日本の古代を語る上でのポイントは、出雲政府*1と大和朝廷*2の勢力争いです。日本にはこの戦いの後にも平氏*3・源氏や南北朝*4などの勢力闘争はありましたが、「出雲VS大和」の争いは、日本の統治構造を形づくる上で決定的な影響をもたらしました。諸説ありますが、日本の神話や古代からの歴史に影響を及ぼすような対立は「出雲VS大和」*5の時代に大きなルーツがあり、それ以後は、基本的に天皇という概念を中心にして日本は統治されています。

この戦いには大和側が勝って、大和*6が4世紀ごろに日本を統一しました。そこから日本は日本として成立し始めました。当時はテクノロジー的には近代でもないのですが、このころが日本の前近代の始まりといえます。

その後に、日本が近代的な国家制度を築くきっかけになったのは、中臣鎌足[7]による西暦645年の大化の改新[8]です。ここから律令政治[9]が始まります。

この大化の改新によって、日本の基本スタイルが生まれました。日本の中心に天皇制という概念を王制[10]として持ってくるけれども、天皇が政治をするわけではなくて、その横にいる官僚、当時の中臣鎌足などが政治を行うというスタイルです。言い換えると、宗教的な立脚点は中央の天皇のほうに持ってきて、それ以外の法制や法律は官僚的人材が決めていくという官僚主導[11]の管理経済[12]型の仕組みができあがったのです。

この時代には、現代の基盤となっているとても重要な制度ができています。その一例が、743年に制定された墾田永年私財法[13]です。それまでは、三世一身の法[14]の決まりで、自分で新しく切り開いた土地でも、3世代（孫の世代）までしか所有できなかったのですが、この法によって、永遠に土地を自分のものにできるようになりました。土地[15]は国家が所有するものから、国民が保有できるものに変わったのです。たとえば中国では今でも土地の個人所有は認められていませんし、同じアジアでも国によって法制度は大きく異なります。

すなわち、「出雲VS大和」の争いが終わったところで、日本の統治構造は半分ができあがり、さらに中臣鎌足が天皇スタイルによる統治を仕組み化したことで、統治構造の基盤が完成したのです。

なぜ中臣鎌足はこうした統治スタイルを選んだのでしょうか。これは僕の推測ですが、天皇家も世代交代によって為政者としての才覚に差があるから、天皇に権力を集中させるのではなく、天皇という統治者と官僚という執行者を分けたほうが国はうまく治まると考えたのだと思います。中臣鎌足の子、藤原不比等[*16]は、国民が天皇を信仰するように、『日本書紀』[*17]や『古事記』[*18]を書き直しました。イザナギやイザナミの話を加えて、天皇をその子孫とする神話をつくりました。いわば、教義や神話を国策として編纂したようなものです。

日本は西暦700年代からこの統治構造で運営されていて、その後の1300年にわたって、統治構造の大きな変化は起きていません。南北朝時代や江戸時代[*19]には、変化の兆しはありましたが、結局、統治構造は変わりませんでした。

ほかの国の歴史を見ると、「誰が王様になるか」という王座の争いを、1400年代や1500年代まで繰り返していましたが、日本は他国に先んじて今の統治構造に到達したのです。

これは、「日本とは何か」を考える上でまず知っておかないといけない基本です。

イノベーティブな日本の宗教

日本は宗教という点でも他国とは異なる特徴があります。一般的に、宗教とは、イエス・キリスト[20]やブッダ[21]のようなカリスマ性のある開祖が存在し、その後コミュニティを作る中で自発的に生まれてくるものです。

それに対して、日本では、統治者と国が国策として宗教組織を生み出しました。国が日本誕生についての神話を編纂し、イザナギ、イザナミという神の物語を編み、その子孫が天皇であるという神話の編纂を行ったのです。ほか[22]の国の統治者もこういった手法をとることがありますが、日本の場合、このデザインが２０００年近く続いていることは非常にイノベーティブであるといえるでしょう。

さらに興味深いのは、国が神を設定したのにもかかわらず、日本が天皇一神にならなかったことです。一神教になってもおかしくなかったのに、実際には、八百万(やおよろず)[23]状態になりました。その理由は、おそらく大和が出雲を滅ぼさなかったからだと思います。神無月(かんなづき)の語源として、「10月には全国の神々が出雲大社に集まり、諸国に神がいなくなるから『神無月』になった」とする説がありますが、出雲にも神様が生き続けたのです。

すなわち、八百万の神様の中に、天皇の系譜はひとつの存在として入っているだけで、統一権限を持っていませんでした。天皇は、天照大神と近縁なのにもかかわらずです。日本は神様の世界も、手法としては民主的なのです。この制度はギリシャ[24]などの小国に見られますが、神の連合会議を用いてそれ自体も信仰とするような特徴は現代のほかの国ではとてもありえないものであって、明らかにイノベーティブなデザインだと僕は考えています。

我々の国では、イスラム教を信仰している人も、キリスト教を信仰している人もどちらも許容しますし、「そういうものでしょう」という感じですが、それを理解する素養が少ない国も多いように感じます。

言い換えると、日本は国教[25]を定義することなく信仰を定義できてしまった特殊な国です。もちろん、そのせいで地方自治の中でキリスト教に対する弾圧などがあったりもしました。

おそらく、中臣鎌足から始まる系譜において、藤原不比等自身は、神話までつくるぐらいですから一神教にしたかったのだと思います。しかし彼の誤算は、自然信仰を外せなかったことだと僕は考えています。だからこそ、日本は一神教になりませんでした。ただし、一神教ではなくても、多くの日本人はみんな天皇陛下のことを敬っていますし、天皇制が大切な文化だと考えています。

明治時代から昭和初期にかけては、天皇一神教対策をもっと強めましたが、戦後はもとに戻っていきました。この明治から昭和初期の70年強は、日本の歴史の中では奇特な時期であって、天皇一神教の全権統治スタイルは日本が長く行ってきた為政とは異なります。

戦国時代までの日本の歴史は、精神構造の主体として天皇があった上で、執行者の地位を争っていく構図でした。たとえば、「将軍」という言葉は征夷大将軍の略ですが、その任命権を持つのは、天皇です。国権として政治を担う主体と、精神構造の主体が分離しているのが日本であって、それは妥当なやり方だと僕は思います。

日本では、その執行者の地位をめぐって、豪族や武家や戦国武将が勢力争いを繰り広げてきたわけですが、それがピークに達したのが戦国時代です。戦国時代とは、我々にとっての世界大戦といえるのではないかと僕は考えています。

この世界大戦では、2つの選択肢がありました。ひとつは[26]秀吉的世界。中央集権の自由経済的なオープンな世界で外の国を攻めるなど外交的成長戦略を考えます。もうひとつが、[27]徳川的世界。これは非中央集権の地方自治で、内需に頼る鎖国戦略です。

最終的に、秀吉的世界は長く続かずに、[28]朝鮮出兵なども失敗し徳川に滅ぼされてしまい、その後、300年にわたり、日本は徳川的世界になりました。結果として、徳川的世界の分割統治・地方自治スタイルは日本に向いていきました。江戸時代には、[29]通貨も地域ごとにたくさん生まれて、文化が栄えました。

日本は同じ国の中でも、沖縄と北海道で文化が違いますし、元々の国も異なるし言語も違ったりする。守るべきカルチャーも違います。そういった面でも日本には、非中央集権が合っている。しかも、士農工商のカースト制も３００年程度続くぐらい日本の統治にはハマっていたのです。

日本にはカーストが向いている

カーストというと、悪いイメージがあるかもしれませんが、インド人にとっては必ずしも悪ではありません。僕はインド人によく「カーストってあなたにとって何なの?」と質問するのですが、多くの人が「カーストは幸福のひとつの形」と答えてくれたことがありました。

なぜカーストが幸福につながるのかというと、カーストがあると職業選択の自由はない反面、ある意味の安定は得られるからです。生まれたときから、どういう層の人々と結婚をするのかがわかっているし、誰と結婚するかも大体わかっている。また、未来において自分の子どもが自分と同じ職業を得ているだろうとわかるからです。それが保証されていることは、実は「自由がなく不幸」ではなく「安心かつ康寧」なのだと聞いて、確かにそうだなと思いました。

とくにインドは政権や経済政策が不安定なので、職業が人々の安定の土台になっています。自分の子どもも、自分の孫も、自分のおじいちゃんと同じ仕事をしているだろうと保証されていることが、人々の安定や安心につながっているのです。

仕事と聞くと、我々は専門性の分化された仕事を考えてしまうのですが、カーストのいう仕事はもっと広い意味を持っています。カーストの仕事には、トイレのドアを開ける職業まであります。そういう人に「でも、トイレが自動ドアになったらどうするの?」と聞いたことがあるのですが、「自動ドアを設置する会社に勤める」と言っていました。同じように、トイレでティッシュを売る人も、トイレがウォシュレットになったら、それをメンテナンスする仕事につくのだと言います。つまり、機械ができることの外側にある仕事をつねに手掛けていて、技術失業の外側へ臨機応変に対応するのです。

ただし、例外もあります。たとえばＩＴの領域は今までのカーストではカバーしていなかったので、カーストの抜け穴として新しい人材が参入しました。これがインドでＩＴ産業が盛り上がった大きな理由です。

インドのカーストに当たるのは日本の士農工商ですが、日本は本質的にカーストが向いている国だと思っています。そもそも、士農工商という序列はよくできています。これは、コンピュータ時代にも、価値を持ちうるような、とてもいい並びだと思っています。

大きく分類すると、士は政策決定者・産業創造者・官僚で、農は一般生産・一般業務従事者で、工がアーティストや専門家で、商が金融商品や会計を扱うビジネスパーソンです。より詳しく見ていくと、「士」は政策を決定する政治家や官僚、新しいことを考える学者など、クリエイティブクラス[30]です。江戸時代には、武士が蘭学を始めたりして、新しいジャンルをつくっていました。そうしたイノベーションを起こしたり、制度設計をしたりする人が士です。

「農」の中心は百姓です。百姓とは、単なる農民ではありません。言葉のとおり、百姓とは生業が100個ある人たちです。いわば、自営業者、マルチクリエーター[31]です。農業をする人もいれば、木工をする人もいる。文章を書く人もいれば、祭りを取り仕切る人もいる。一般的に、医術も百姓の生業のひとつであって、医者も農に属していました。要は、100ぐらいの職のバリエーション[32]をポートフォリオマネジメント[33]してきたのです。

「工」は専門家です。クラフトマンシップ[34]を追求する人であり、一本足打法のクリエーター。つまりは職人です。専門家として刀をつくる人であるとか、家を建てる人などが典型です。多くの場合、アートもここに含まれていました。

最後に「商」がビジネスパーソンです。今でいう、企業のホワイトカラー[35]や金融を扱うみたいな人たちです。士農工商の中で、「農」と「工」の人は明らかにモノを生み出しています。生産をしているクリエーターです。それに対して、「商」は基本的に生産には関わらないゼロサムゲーム[*36]を行うので「商」ばかりが増えると国が成り立ちません。「商」がいすぎるのは困るのです。

ですから、士農工商の中で、「商」は一番序列が低いというのは正しいのです。現代風にいうと、職人の息子のほうが、金融畑のトレーダーよりも優遇されるということです。職人のほうが価値を生み出しているのですから、それは当時の施策としては理にかなっているように見えます。

百姓という「多動力」

この士農工商のモデルは、これからの時代にも合っています。一周まわって、士農工商の考え方が時代の最先端になってきているのです。

なぜなら、AIが普及すると、「商」のホワイトカラーの効率化がどんどん進みます。とくに専門性がなくて、オフィスでエクセルを打っていた人たちは、機械に置き換わっていきます。一方、何か具体的なモノをつくり出せる人や、百姓のようにいろんなことができる人は、食いっぱぐれません。それに、IT[*37]ツールの民主化によって、誰もがモノを作りやすい時代にもなりました。

今の日本人は「農」というと、農民と思い込んでいますが、それは昭和のイメージで士農工商を見ているからです。もともとの「農」は米もつくっていましたが、米づくり以外のこともたくさんしていました。

今も学生の間では、メガバンクなどの金融機関が人気ですが、金融それ自体は基本的にクリエイティブではありません。江戸時代でも、新井白石[*38]のように金融学者として新しい仕組みを考え出す人はクリエイティブクラスですが、町で両替商[*39]をしている人たちは全然クリエイティブではありません。だからこそ、士農工商の「商」なのです。

いつの時代も、社会の中での重要性を決めるのは、市場での希少価値です。数が少ない人たち、レアな人たちほど価値が高いのです。たとえば、新しい仕組みを考えたり、イノベーションを起こしたりするクリエイティブクラスは明らかにレアなので、価値が高い。誰にもつくれないモノをつくれる人は価値が高い。それに対して、現代のホワイトカラーの仕事をできる人や機能はほかにもたくさんいるし、あります。だから価値が相対的に低いのです。

僕がここで士農工商のモデルを支持するのは、日本人の幸福論を定義しやすくなると思うからです。我々は、幸福論を定義するときに、つい物質的価値を求めてしまいますが、実は、生業が保証されることこそが幸福につながります。「その生き方は将来にもあるだろう」という前提で未来を安心して考えられると生きやすくなるのです。

生きるに業と書いて、「なりわい」と読みますが、生業が保証されて、それに打ち込めるだけで、人生のビジョンがほとんど決まります。それは、いつまで経っても自分探しをして、迷い続ける人が多い社会よりもよっぽど幸福ではないでしょうか。

もちろん、インドのように生まれながらカーストによって職業が決まっているのではなく、職業の行き来のしやすいカーストにする必要はあります。そうした「柔軟性のあるカースト」であれば、日本人に向いているはずです。これはコミュニティとも同じような考え方です。


とくにこれから重要になるのが、「百姓的な」生き方です。百の生業を成すことを目指したほうがいいのです。そうすれば、いろんな仕事をポートフォリオマネジメントしているので、コモディティになる余地がありません。ひもを縒(よ)っているときもあれば、わらじをつくっているときもあり、稲を刈っているときもある。現代でいうと、堀江貴文さんです。堀江さんも、メディアに出ているときもあれば、肉をたたいているときもあり、サバイバルゲームで銃を撃っているときもあります。まさに「多動力こそ百姓」です。

僕も百姓の一人です。大学で教えつつ、メディアアートをしつつ、会社を経営していますから、毎日違うことをしています。これからの時代は、百姓の中から、イケている人が、クリエイティブクラスになっていくのです。

しかもこれからは、技術的発展によってクリエイティブクラスとして活躍しやすくなってきます。たとえば、明治時代には、クリエイティブクラスや百姓としてマルチタレントを発揮するには、相当、ずば抜けていないと厳しかった。もしくは社会からの距離を感じざるをえなかった。しかし、今後は専門性をコンピューターが代替できるようになると、専門性の高いところから能力の訓練が解放されて、マルチタレントを生かしやすくなってくるはずです。

中流マスメディアの罪

ここまで説明してきたように、クリエイションを中心に考えるカースト、とりわけ士農工商は相性がとてもいい。それなのに、今の日本にはそういった、社会への貢献という考え方の伝統がなくなってしまいました。それは、大学生の間で、メガバンクや商社や広告代理店などの「商」ばかりが人気という点にあらわれています。

なぜ日本はこうなってしまったのでしょうか。僕は、マスメディアがカーストを破壊したのだと思っています。とくに罪深いのは、トレンディードラマ[*40]や拝金主義です。

何が言いたいかというと、マスメディアによる価値観の統一やトレンディードラマによる人生のサンプルの流布のせいで、日本人が目指す人生像がとても画一的な凝り固まったものになってしまいました。

たとえば二子玉川[41]はサラリーマンの憧れの町として語られていますが、駅を降りると何か構造がいびつです。カフェがあって、家電屋さんがあって、子どもを連れて歩きたい公園があって、川があって、まるでドラマでのシーンを切り取ったような光景が広がっています。自然発生的には生じえないシナリオを物理化したような町になっているのです。

つまり、マスメディアがドラマで見せていた、理想的な昭和人材が住みたい町や家なのです。トレンディードラマのような町に住んで、家を買って、子どもを塾に行かせて、私立の学校に行かせて、やがて病院で死ぬというような画一的なイメージです。本当は「人がこうなりたい」というイメージは多様でいいはずなのに、ひとつのイメージをマスメディアが押し付けると、社会構造として極めていびつになってしまう上、それが実際に物理化し出すのです。

昭和の時代においては、マスメディアが大衆の画一的な需要をつくり出すという戦略は正しかった。マスメディアが国民全員に同じ方向を見させることによって、「次は自動車が売れる、テレビが売れる、洗濯機が売れる」というふうに消費行動を読みやすくなったのです。

これは企業にとって好都合です。どこの分野に投資をしたらいいかわかりやすかったですし、国内で発達した技術的価値を国外に移転することもできました。これがうまい戦略だったことは間違いありません。

ほかにも、マスメディアは昔の考え方を破壊していきました。たとえば、「結婚式を挙げないと不安」という雰囲気をゼクシィなどのメディアがつくっていきました。米国の結婚式は普通にパーティー会場を借りてやるだけですし、日本の伝統としても、高い金をかけて結婚式を挙げる必要はありません。しかし、マスメディアによって「数百万円もかけて結婚式場で挙式する」という概念がつくられていったのです。*42

婚約指輪も似た話です。*43 給料の3カ月分もかけて、指輪を買わないといけない理由はないのに、それが幸福であると勘違いする人を生み出してしまいました。結婚式や婚約指輪の例に限らず、なぜ成り立っているのかわからないものが、次々とマスメディアによってつくられていったのです。

こうしたよくわからない洗脳を可能にしたのが、限定チャンネル数による地上波という強力なシステムです。昭和はまさにテレビの時代。まさに最強のメディアです。

ジョージ・オーウェルの小説*44『1984年』の中に、テレスクリーンという装置が出てきます。それは、テレビジョンと監視カメラを兼ねた機能を持っていて、ビッグ・ブラザーはいつも視聴者を見ています。日本のテレビでいうビッグ・ブラザーとは国民の管理システムのことで、大企業を中心とし、つねに消費者を監視して、うまくコントロールしているのです。

よくディズニーランド[*45]に行くのが幸せだという人がいますが、僕にはその理由がわかりません。理由を聞くと、「ディズニーが好きだから」という答えが多いのですが、これは信仰に近い考え方なのです。いつのまにか、自分の中に価値観がインストールされていることに気づいていません。日本はそうした話がたくさんあります。まだマスメディアや広告にコントロールされて、自分がそういう行動をしている自覚があればいいのですが、無自覚な人も多い。

とくに日本人はマスメディアに植え付けられた「普通」という概念にとらわれすぎです。多くの人は、普通こそが天地神明の理だと思っていて、全てのことを「普通」で片づけます。しかし実際には、普通が一番だと思っているのが、一番の間違いなのです。普通は多くの場合、最適解ではなく、変化の多いときには、足かせになるのですから。

ただし、さすがに最近は広告が急速に力を失ってきています。景気がいいので、広告出稿自体は増えていますが、マスメディアでリーチできなくなってきていることは明らかです。もともと非中央集権の地方分権型という日本の成り立ちを考えると、この流れは止まりません。今後は、企業のマーケティングも、地方のキー局への出稿を増やしたり、地方のユーチューバーを増やしたりといった戦略にシフトしていくはずです。それをＡＫＢ48を皮切りに、他に先んじてやっている秋元康[*46]さんは先見の明があったと思います。

日本は超拝金主義

もうひとつ、トレンディードラマに代表されるマスメディアがもたらした害悪があります。それは、拝金主義です。今の日本は拝金主義すぎます。

結婚相手を選ぶときに、頻繁に最初に出てくる条件は年収ですが、これは拝金主義でしかありません。今の日本は、拝金主義がインストールされすぎていて、もはや気にならなくなってきています。

僕もお金の話をよくするのですが、それは「お金はたかがツール」だと思っているからです。家に帰ってきて電気をつける、という「電気」くらいに、ビジネスや研究にとってのお金を考えています。しかし、世間にはお金が神様だと思っている人が多すぎます。それはマスメディアのせいです。

しかも地上波をつければ、「だれだれの家は豪邸なんですね。10億円ですか。庶民には買えませんね」といった内容の番組がしょっちゅう放映されています。あれを海外で見たら、「なんて低俗なんだろう」と思いますが、日本ではそのような番組が結構あります。

そして普段の生活でも、給料の話がとにかく多い。しかし、給料は本質的にはあんまり意味がない単位です。いわば、「私は働いています」と言っているようなものです。もっと役員報酬でものを考える人が増えないと、サラリーマン的な給料の話ばかりになってしまいます。とにかく今の日本は超拝金主義です。

この拝金主義を抜け出すためにも、もうちょっと文化性を持つようにしないといけません。まっとうな心を持っていれば、「お金を稼いでいるからすごい」とは思わないはずです。それなのに、今の日本では、「お金を稼いでいればすごい」というふうになってしまっています。もともとの日本人は、収入を生むことと生み出す価値と資産はそれぞれ異なったものであって、収入[*47]ばかりを考えることはなかったはずです。

少なくとも、昭和の一億総中流の時代はここまで拝金主義ではありませんでした。しかし、昭和の終わり前には、拝金主義的な流れがどんどん強くなってきました。僕は六本木の出身ですが、僕の周りでも、「あの子は慶應幼稚舎に行くのよ」といった話ばかりになってきていました。当時はちょうどお受験をテーマにしたドラマをやっていたので、その影響もあったのだと思います。

今の日本人は、お金を過度に気にするあまり、大きな自己矛盾を抱えています。今の日本が持っている「内なる拝金主義」は大きな問題です。ここから抜け出さない限り、士農工商などの「価値を中心としたパラダイム」には戻れません。今のままでは、士農工商の逆の商工農士になってしまいます。「商」なんて、本質価値を生み出していないと思ったほうがいいのです。

大学生が、好きでもないのに、メガバンクなどの金融機関に就職したがる理由のひとつも、お金が重要だと思っているからです。

しかしながら、お金からお金を生み出す職業が、一番金を稼げる（＝価値がある）と考えるということ自体が間違っているのです。制度や発明など生産性のあることは何もしていませんし、社会に富を生み出していません。それなのに、金融機関に行きたがる若者が多いのは、マスメディアで洗脳されているからです。ドラマの中に出てくる主人公が銀行で働いている設定だったりするのは、マスメディアで報じられる金持ちへの憧れがあるのでしょう。

日本を蝕むトレンディードラマ的世界観

拝金主義とともに、日本をむしばんでいるのが、トレンディードラマ的世界観です。一言でいうと、マスメディアが複雑な恋愛を描きすぎたせいで、大衆はドラマや小説の中のように、本音では西麻布で不倫したいような複雑なストーリーへの欲求を持つようになったと僕は思っています。たとえば、林真理子さん[48]の『不機嫌な果実』[49]では、夫との生活に不満を抱き、昔の恋人や年下の音楽評論家と不倫する32歳の女性主人公が描かれていますが、この小説で書かれているような世界をみんな経験したいのです。今、「週刊文春」が不倫を報じて、不倫した人を世の中の人たちがたたいていますが、それはそれだけみんな不倫したいということの裏返しなのです。そうでないと、これほど不倫が盛り上がりません。これは、そういうドラマチックなストーリーを描きすぎて、そのせいで愛憎が入り交じり、マスメディアの次なるエサになっている事例です。

これは拝金と同じスキームです。みんな自分は拝金でないと思っているけれども、実は拝金主義にどっぷり浸っている。それと同じように、みんな正義を装って不倫している人をたたいておきながら、実は不倫したくてしょうがない。不倫したいんだけど不倫してはいけないみたいな世界なのです。この世界を乗り越えて、自己認識の上でそういう特別なストーリーへの憧れを排除しないと、日本人はいつまで経っても幸せになれません。

こうした状況を変えるには文化性を持つことが大事ですが、文化を育むには50年単位の時間がかかります。文化は守らないと存続しないものですし、積み重ねるのにとても時間がかかります。文化とは、人の知の蓄積そのものであって、それは一番価値が高い。人の到達点を文化に変換するからこそ、アート作品は高いのですが、拝金主義の人たちにはバスキア[*50]の絵がなぜ100億円もするか市場原理[*51]以上の感覚では理解できません。

長期戦として文化を育むことが大切ですが、今、まず必要なのは、社会に富を生み出したかどうか、ちゃんと考えることです。社会にどう貢献しているのかを考えるということです。その視点でいくと、きれいに士農工商の順に富を生み出しています。クリエイティブクラスは確実に富を生み出していますし、農は確実にモノをつくっていますし、工もモノをつくっています。しかし、商はモノをつくっていません。ゼロサムでトレードを生業とする金融の人が社会にもたらす貢献は、適正な金融商品が適正な価格になるお手伝いをしていることだけで、それ以外は何もありません。そうしたアービトラージ（裁定取引）もコンピューターがやってくれるようになったら、ますます価値がなくなってしまいます。

とにかく、日本はこの「ザ・拝金マスメディア」がつくり出した、過去50年の拝金主義をちゃんと忘却しないといけません。本当は、マスメディアを変えるためにも、ライブドア事件[*52]でのフジテレビとライブドアの関係はもっと建設的な議論を巻き起こす必要があったと思っています。

今の日本人、昭和の日本人は、イデオロギーなき拝金主義者の群れです。拝金は汚いと思っている一方で確かに、拝金なのです。その上、礼儀と同調を忠として本質を見ない。そうした矛盾は、自分を崩壊させてしまいます。そんな状態ではいつまで経っても幸福にはなれませんし、そんな親が子どもを育てたら、さらに拝金主義の人間ができてしまいます。

「ものづくり」へのリスペクトを回復せよ

拝金主義を脱するためにも、文化の育て方は欧州に学ぶべきです。もともと日本は欧州から学んだ社会体制を持っていて、文化の価値をよくわかっていました。大学にしても、かつての帝国大学は文化に寄与しているかをきちんと意識していました。それなのに、今ではそうした意識が完全に薄れてしまっています。

欧州では、アーティストや博士はとても尊敬されています。それは社会に価値を生み出しているからです。アーティストというのは、人類が今まで蓄積してきた美の最大到達点をさらに更新しようとしている人たちです。博士というのは、人類がそれまで蓄積してきた知の領域をほんの少しだけ外に広げる人たちです。だからこそ、社会的価値がとても高いのですが、日本ではそうした認識がありません。

日本が文化の価値を取り戻すためには、学ぶべきは江戸以前の文化です。日本人は本質的には文化価値や職人芸を認める伝統があります。そこに、お金への信仰という尺度はなかったはずなのに、いつのまにか拝金主義が入ってきてしまいました。

今の日本では職人に対してリスペクトがあまりに少ない。職人の年収が３００万円と聞いたら、職人にならない人が多いでしょう。しかし、たとえば地方の農村であれば、年収３００万円でも十分暮らせるのだから、もし自分が好きなのであれば、胸を張って職人になればいいのです。仮に僕が、地方の山奥で焼き物を焼きたくなって職人になって、10年経った後にまた今の仕事に戻ってマネジメントやリサーチの仕事を始めたら、もっとクリエイティブになれると思っています。年収レンジはもとに戻るか、むしろ、以前よりも上がるかもしれません。職人の仕事など、複雑な身体性に関する理解はそれぐらい価値があるのです。

そもそも日本は、技法のミーム（人類の文化を進化させる遺伝子以外の遺伝情報。習慣や技能、物語など）が根付いた国です。日本では、技と美が一体化していて、技と美は一体に語られることが多い。芸術の世界と職人の世界が一体化しているのです。これは欧州の視点からは遅れているように見えるかもしれませんが、そうではありません。ドラクエにたとえると、魔法使いと剣士がいたら、それが別々になるのではなく、魔法剣士がいるようなものです。

日本画を例にすると、日本画は芸術であると同時に、素材作りから考え抜かないといけません。工芸的側面と芸術的な面を持っているのです。屏風も同じです。何で屏風は折れて動くのかの技術を理解していないといけません。西洋人は壁のように動かないものに絵を描くのが普通ですから、屏風に絵を描く日本人の発想を理解しにくいはずです。掛け軸も、芸術であるとともに、巻いて収納したり、運搬したりするコミュニケーションとしての側面を持っています。明らかにテクノロジーやメディアとセットになっているのです。

日本の芸術や職人芸は、茶道が典型ですが、技と美を一体化させて、ライフスタイルとしてまとめ直していきます。それだけに、その道を究めるのにはとても長い時間がかかるのです。

職人に限らず、たとえば、イチローのような野球選手が「野球道」と言うのは、ライフスタイルと美的感覚と技がセットになっているからだと思います。これは東洋人の精神性の特徴です。僕も、テクノロジーとリサーチとビジネスを重ね合わせて、メディアアートという分野の中で作品を生み出して、その道を究めていこうとしています。日本的な芸術・職人芸においては、人によって、多様な道を究めていくことができるのです。

現代においても、職人になったり、大学の博士課程に入ったりして、自分の信じる道を究めるのは、自分の中に価値が醸成されるのでいい選択肢です。それなのに、年収だけを見て「何で職人になるのか、博士になって意味があるのか」と言う人があまりに多い。最近、生涯教育という言葉が流行りですが、拝金主導の今のままでは博士課程に入り直そうという人はなかなか出てきません。

教育という文脈では、今、大学の無償化が話題になっています。これも一見みんなが幸せであるように見えますが、実は、効率よく金融システムに巻き取られかねません。マイホームのローンのようになるおそれがあります。

大学無償化といっても、厳密には無償ではありません。年収レンジが３００万円を超えたら、学費分を返済しないといけません。謂わば、転換社債のようなものです。この仕組みを考えた人は頭がいいなとは思いますが、将来の返済を若い人に強いるのは酷だと思います。むしろ、親に払わせたほうがいい。これからお金を投資しないといけない若い人たちからお金を取るのではなく、老い先短い親から取ったほうがいいのです。しかし、拝金主義者たちの群れは、そのようには考えません。

こうした拝金主義的な考えを変えるために大事なのは、文化であり、美意識であり、その基盤となる教育です。教育によって、大人も変えることは可能です。とくに大人に対して教育効果が大きいマスメディアを10年間かけて変えるしかありません。トレンディードラマが拝金主義者を生み出したとしたら、またトレンディードラマでその洗脳を解くしかないのです。拝金主義を撲滅するためにも、「年収３００万円だよ」と言って生産する人をバカにするような金融崇拝の人たちを、ちゃんと、お金だけの軸で考えてはいけないと律するような社会のコンセンサスをつくりまくるしかありません。年収レンジだけでモノを考えていたら、社会の富や価値は多様性を持ちえないし、これから先あまり増えないことを思い知らせる必要があるのです。

＊1 **出雲政府** 弥生時代、古墳時代の出雲の国（現在の島根県東部および鳥取県西部）にある出雲平野、安来平野を中心にあったとされる強大な国。

＊2 **大和朝廷** 4〜7世紀の日本の国家形成に際しその中心となった中央組織。上記の出雲との対立関係にあったとされている、という文脈で紹介しました。

＊3 **平氏・源氏** 後白河法皇の皇子以仁王の挙兵を契機に各地で平清盛を中心とする平氏政権に対する反乱が起こり、最終的には、反乱勢力同士の対立がありつつも平氏政権の崩壊により源頼朝を中心とした主に坂東平氏から構成される関東政権（鎌倉幕府）の樹立という結果に至ります。

＊4 **南北朝** 建武の新政の崩壊を受けて足利尊氏が新たに光明天皇（北朝側）を擁立したのに対抗して京都を脱出した後醍醐天皇（南朝側）が吉野行宮に遷った1336年から、南朝第4代の後亀山天皇が北朝第6代の後小松天皇に神器を譲り両朝が合一を見た1392年までの、56年間。

＊5 **出雲VS大和** 出雲大社のある出雲地域と大和朝廷との間で何らかの勢力争いがあり、出雲側にも有力な王朝があったのではないかという学説が1990年代以降見直されつつあります。

＊6 **大和が4世紀ごろに日本を統一** 大和王権は、3世紀から始まる古墳時代に「王」「大王」（おおきみ）などと呼称された倭国の王を中心として、いくつかの有力氏族が連合して成立した政

治権力、政治組織です。

*7 **中臣鎌足** 早くから中国の史書に関心を持ち、遣隋使として留学していた南淵請安が塾を開くと蘇我入鹿とともにそこで儒教を学びました。万葉集に和歌も収載されています。

*8 **大化の改新** 645年に中大兄皇子と中臣鎌足が蘇我氏を打倒して始めた古代政治史上の一大改革。蘇我蝦夷・入鹿父子を滅ぼした中大兄皇子は孝徳天皇を即位させ、自らは皇太子として実権を握りました。

*9 **律令政治** 刑罰を決めた律と国の政治を行う決まりを定めた令に基づいて行う政治のこと。701年の大宝律令によって、律令政治が確立されました。

*10 **王制** 君主制度。王が主権を有する政治制度。

*11 **官僚主導** 官僚機構が政治的意思決定及びその施行に関する主導権を握っている状態。

*12 **管理経済型** マルクスも生産が「自由に社会化された人間の産物として彼らの意識的計画的管理のもとにおかれる」と言いました。計画経済の原型はレーニンのゴエルロ・プラン、スターリンによる第一次五カ年計画と言われています。

*13 **墾田永年私財法** 743年の奈良時代中期、聖武天皇の治世に制定された、自分で新しく開墾した耕地の永年私財化を認める法令。

*14 **三世一身の法** 723年に定められた墾田の奨励のため開墾者から三世代までの墾田私有を認めた法令。

*15 **土地は国家が所有するもの** かつては私有財産・公有財産は国が所有するという考え方でした。これは国によれば考え方も異なるもので今の中国で土地の個人所有は認められていません。

*16 **藤原不比等** 中臣鎌足の次男。700年、律令制度の確立に努め、刑部親王らと大宝律令の制定に加わり、平城京遷都を推進しました。

*17 **日本書紀** 奈良時代に成立した日本の歴史書。完成したのは古事記より少し遅い720年です。

*18 **古事記** 日本最古の歴史書と言われています。日本の始まりについて語られています。

*19 **江戸時代** 1603年3月24日に徳川家康が征夷大将軍に任命されて江戸に幕府を樹立してから1868年5月3日に江戸城が明治政府軍に明け渡されるまでの265年間を指します。

*20 **イエス・キリスト** 紀元前6年から紀元前4年頃～紀元後30年頃。紀元1世紀にパレスチナ

のユダヤの地、とりわけガリラヤ周辺で活動したと考えられている人物。キリスト教においては「神の子が人間の姿で現れた存在」とされています。

*21 **ブッダ** 紀元前5世紀前後の北インドの人物で、「悟りをひらいた者」という意味。本名はゴータマ・シッダールタといいます。

*22 **ほかの国の統治者** 古代エジプト文明、メソポタミア文明などの統治者もそうでした。

*23 **八百万状態** 自然のもの全てには神が宿っているという考え方。アニミズムであり、この文脈では唯一神を基準にして考える状態でないことを説明しています。

*24 **ギリシャなどの小国** ギリシャ神話からもわかるようにギリシャも自然発生的な多神教を古代から受け継いできたと言えるでしょう。

*25 **国教** 神道や仏教についての言及以外にかつてはキリスト教の禁止を徹底していた時代もありましたが、それを経ても多神教的な八百万の神という形式が残っています。

*26 **秀吉的世界** 豊臣秀吉は貨幣統一・兵農分離・太閤検地・石高制等の施行によって幕藩体制の基礎をつくりました。また対外的な進軍などを行いました。南蛮貿易を推奨したり、太閤検地や刀狩令から見られたりするように、自由経済的で中央集権世界だったということからこのような書き方をしています。

*27 **徳川的世界** 家康は秀吉の死後、関ヶ原の戦で石田三成を破り、征夷大将軍となりました。大坂冬・夏の陣で豊臣氏を滅ぼし、名実共に天下を統一して幕府の基礎を固め、江戸幕府を完成させました。その後、地方自治という非中央集権的な統治を行い、後の三代将軍家光が始めた鎖国という内需に頼る政策を推進したことからこのように書いています。

*28 **朝鮮出兵** 日本の天下統一を果たした豊臣秀吉は大明帝国の征服を目指し、遠征軍を立ち上げ朝鮮に攻め込みましたが、失敗に終わりました。

*29 **通貨** 江戸時代には三貨制度という貨幣制度がありました。金銀銅貨の間には幕府のお触れ書きによる御定相場も存在しましたが、実態は変動相場で取引されるものでした。

*30 **クリエイティブクラス** 経済学者・社会学者であるリチャード・フロリダによってアメリカの脱工業化した都市における経済成長の鍵となる推進力と認識された社会経済学上の階級。

*31 **マルチクリエーター** 様々な分野にわたって創造的活動をしている人。

＊32　**バリエーション**　同一の枠組みから選択可能な選択肢の多さのこと。

＊33　**ポートフォリオマネジメント**　資産運用や経営資源の配分を考えるとき、投資案件のひとつひとつを個別に評価するのではなく、その集合全体（ポートフォリオ）でのバランスを考慮に入れて分析・検討を行い、合理的な取捨選択・優先順位を導き出して、最適な投資の意思決定を図るマネジメント手法のこと。

＊34　**クラフトマンシップ**　職人芸、職人の技巧。

＊35　**ホワイトカラー**　頭脳労働をする人や、総合職のこと。

＊36　**ゼロサムゲーム**　複数の人が相互に影響しあう状況の中で、全員の利得の総和がつねにゼロになること、またはその状況。

＊37　**ITツールの民主化**　今まで専門性の高かったITツールを使うハードルが下がったこと。

＊38　**新井白石**　江戸中期の儒学者・政治家。6代将軍徳川家宣に仕えて幕政に参与し、朝鮮通信使の待遇簡素化、貨幣改鋳などに尽力しました。

＊39　**両替商**　室町時代末期から興り、江戸時代に入って大いに繁栄、両替のほか為替、預金、貸付け、手形振出し、公金取扱業務にあたりました。

＊40　**トレンディードラマ**　1988年から1990年にかけてのバブル景気時代に制作された日本のテレビドラマ。

＊41　**二子玉川**　2017年住みたい街ランキング二位（chintaibest.com 調べ）になるほどの人気の街。メディアにもセレブの街というイメージが大きいように感じます。
「二子玉川の妻たちは」https://tokyo-calendar.jp/story/5012

＊42　**数百万円もかけて結婚式場で挙式する**　高度経済成長期にブライダル産業・結婚産業が始まったと言われています。これ以降、家でできないから仕方なく公共施設でやっていた結婚式を、ホテルで豪華に結婚式がやりたいという方向へと舵を切る転換点となったという文脈で事例を紹介しています。

＊43　**婚約指輪**　婚約指輪の慣習が定着したのは昭和30年代半ば以降と言われています。昭和40年代からダイヤモンド供給会社による婚約指輪のキャンペーンも行われ、一気に定着化したようです。

＊44　**ジョージ・オーウェル**　イギリスの作家。全体主義的ディストピアの世界を極めて説得力のある形に書き上げました。著作に『動物農場』『１９８４年』など。

＊45　**ディズニーランド**　ウォルト・ディズニー社が運営する遊園地。東京やパリ、香港でも展開。ディズニーランドのアトラクションには最新のテクノロジーが各所に使われています。キャラクター、メディア装置、テクノロジーという一つのプラットフォームとして紹介しています。

＊46　**秋元康**　ＡＫＢグループや乃木坂46、欅坂46のプロデューサー。ほぼ全ての楽曲の作詞をし、番組の企画構成やドラマの脚本なども手がけています。

＊47　**収入ばかりを考えることはなかったはず**　金融的収入ばかりを考えるということは、実は本来の日本的な考え方ではなく、現物による取引や名誉など百姓的な属性を持つ我々の価値観とは合わないものであるはずなのです。

＊48　**林真理子**　日本の小説家、エッセイスト。多数の著作があり、そのうちの多くの作品がテレビドラマ化されています。代表作『不機嫌な果実』など多数。

＊49　**不機嫌な果実**　週刊文春に１９９５年から96年にかけて連載されていました。単行本の帯には「夫以外の男とのセックスは、どうしてこんなに楽しいのだろうか。衝撃の問題作！」と書いてあります。１９９７年にＴＢＳでドラマ化され、２０１６年にはテレビ朝日でもドラマ化されました。

＊50　**バスキア**　アメリカの画家。グラフィティアートをモチーフとした作品で知られています。ZOZOTOWNの前澤友作社長が日本では有名なコレクターです。

＊51　**市場原理以上の感覚**　アートにはオークションやギャラリーによって値付けられる金融的・金銭的なものに縛られるだけではないだけの文化価値があります。その複雑性を理解するからこそみんな高値でも欲しがるのです。

＊52　**ライブドア事件**　ライブドアの２００４年９月期の決算報告をめぐって、法人としてのライブドアとライブドアマーケティング及び同社の当時の取締役らが証券取引法違反（有価証券報告書の虚偽記載、偽計・風説の流布）の罪で起訴された事件。

第3章

テクノロジーは世界をどう変えるか

コンビニに行かなくなる日

日本の再興戦略を考える上でカギになるのはテクノロジーです。今、世界では、AI[*1]、ロボット[*2]、自動運転、AR・VR[*3]、ブロックチェーン[*4]などのテクノロジーの発展がメディアをにぎわせていますが、これらのテクノロジーは確実に我々の生活や仕事を変えていくことでしょう。

マスメディアの中の映像を変え、信仰を作る前時代を超えて、実世界自体を身体を含めて変えていくことが可能になってきたのです。身近な例でいうと、コンビニも変わります。僕は日ごろから、自動化してほしいと思っているものがたくさんあるのですが、最近、僕が一番危機感を覚えるのが、コンビニと人の関係です。

僕も昔はよくコンビニに行きましたが今はあまり行かなくなりました。僕は高度の高いところに住むのが好きなので、自宅がマンションの高層階にあります。マンションのすぐ近くにはコンビニがあるのですが、最近ではエレベーターでの上下移動が面倒くさいので、アマゾンの「Prime Now」で宅配してもらうようになりました。スマホで注文すれば、大体40分ほどで来ます。飲み物とかお菓子とかハイボールをつくるための炭酸水とかをよく頼みます。

もし僕がマンションの1階まで下りてコンビニに買いに行ったら、家との往復でだいたい15分くらいかかります。それと比べて、アマゾンに頼むのは配達コストが大きいように感じるかもしれません。しかし今後、届けてくれるのがロボットになったら、コストのことを気にしなくなるかもしれません。確かに現時点では労力の無駄なのですが、そこに人間が介在しなくなったら、もしくは、集荷と分配のバランスが整えば、コスパはペイするのです。その観点では、コンビニに行く回数は、これから減っていくでしょう。

食事についても似たことがいえます。「UberEATS」というサービスを使えば、自宅まで好きな料理をすぐに届けてくれます。「ああカレーが食べたいな」と思ったら、アプリからカレーの宅配をピッと頼むだけです。将来的に、届けてくれるのが、自動運転車やロボットになれば、人の負担もかかりません。それと同じ感覚で、あらゆるサービスを済ませることができるようになっていくのです。

そう考えると、今後は、都心に住むメリットはあまりなくなってくるでしょう。あらゆるものが自動的に届くようになりますし、自動運転を使って快適にどこにでも移動できるようになります。そういったテクノロジーは、我々の移動や時間の概念を変えることでしょう。それぐらい、自動運転は我々の世界を大きく変えるのです。夢物語に感じる程度にビジョンを大きく持ち、そして、実際に手を動かすのが、テクノロジーを用いた再興戦略には肝要なことです。

20世紀に、もっとも生活にインパクトを与えた発明は、トーマス・エジソンに代表される「電気製品」と、フォードが量産した「自動車」の2つでした。自動運転が実現したら、それらの発明に匹敵するものになります。

エジソンとフォードが20世紀をつくった

ここで少し20世紀を振り返ってみましょう。僕がなぜ未来の世界を考える際に、エジソン[*5]とフォード[*6]の話をするかというと、我々の社会を規定するものとして、電気製品と自動車を外すことはできないからです。

20世紀は、エジソンが電気製品をつくって売り、フォードが自動車を大衆化しました。これこそが、僕は一番大きな社会変化だと思っています。この2人が20世紀の形を決定づけたと思っています。

電気製品と自動車が大量生産形式になったことにより、工業デザイン[*7]という概念がマスになりました。20世紀というのは、「デザイン」と「マス」という概念ができた世紀であって、それに大きく寄与したのが、エジソンとフォードの発明だと思うのです。大量生産品[8]、マスメディア[9]、バウハウス[10]から始まるデザインの系譜、マスコミュニケーションによって生み出される消費行動[11]と消費社会。最初[12]にお金をかけて作って、生産して回収するサイクル。品質[13]を保つデザイン——そういった我々が当たり前だと思っていることはすべてそこから始まったのです。

これからの時代の課題は、エジソンやフォードが生み出した、大量生産式のモノのつくり方やマス体験の存在の仕方をどう変えていくかです。

エジソンの時代も我々の生きる今も、モノの生産方法と価格と動作方法はあまり変わっていません。フォードの時代から車は車ですし、オーディオビジュアル[14]はオーディオビジュアルです。人間が馬車の代わりに、馬力の強い車を使うというのは当時と変わっていません。電気自動車[15]といえば、みなさんはイーロン・マスク[16]を思い浮かべるかもしれませんが、100年前エジソンとフォードが試験運用していたのは電気自動車でした。これはフォードの(エジソンに比べて類い稀(まれ)なる)コスト判断によってだと思いますが、実際に販売はされませんでした。当時も時速40km、1回の充電で約100km走行できました。

要は今も昔もそこは劇的には変わらないわけです。しかし、今後は、そうした枠組み自体が大きく変わる可能性があります。なぜなら、人間の能力を拡張する技術[17]がたくさん生まれてきているからです。

たとえば、バーチャルリアリティ[18]（VR：仮想現実）やミックスドリアリティ[19]技術（MR：複合現実。現実世界と仮想世界を融合させた映像をつくり出す技術）、空間ホログラム[20]技術（音や光などの波を空間中で自由に操り、波面を制御する技術）のように、3次元空間に直接「音と光」、オーディオビジュアルを存在させようとする技術と、自動運転技術のように、人の介在しないものに自動で運搬能力を付与するような技術が生まれています。今のマスカスタマーゼイションからカスタマーゼイションへの変化を起こすのです。

また、生産技術も大きく変わろうとしています。フォードのような大量生産ラインではなく、個人化・個別化した製造方法として3Dプリンティング[21]や人の介在しないCAD設計[22]による個別製造技術です。今は義手や臓器などに目が向けられやすいですが、あらゆる製品、あらゆるBtoB製品が、少ないコストと多様なラインナップを確保できる可能性がありま す。個々人にカスタマイズ[23]された製品をつくりやすくなっているのです。

この2つの技術、体験の自動化[24]、3次元化と生産の個別化[25]、いわばエジソンとフォード境界[26]の更新に必要不可欠なのが、統計的なコンピューター処理です。

エジソンとフォード境界の最高到達点はトヨタとソニーとアップルだと思いますが、これから、それを超えていくものが出てきます。

ソフトウエアとハードウエアを自由に行き来し、データの蓄積によって個別化と多様性を生み出すフレームワーク、それを「機械学習」[27]と呼んでも、人工知能や手法の名前の代表例をとってディープラーニング[28]と呼んでもいいですが、呼び方はどうでもいいとして、今、社会で起きていることは、そういった個別化と多様化を生み出すためのコンピューテーショナル[29]な変革ではないかと思っています。

「人工知能と呼ばれているもの」の本質／最適化・統計・創発

我々が向かおうとしている社会は、ある面では、近代[30]のクラフトマンシップの時代と似たところがあります。写真が撮れないから肖像画を描いていた時代です。

この時代は効率がよくなかったので、生産能力は低いままでした。GDPが低い発展途上国と同じように、効率化されていない労働によって人は無駄な労働を強いられたり、コミュニケーションコストが高かったりしました。

当時と今の違いは、テクノロジーの進化によって、「人が関わらなくても」、パーソナライズ（個人化）ができるようになってきたことです。

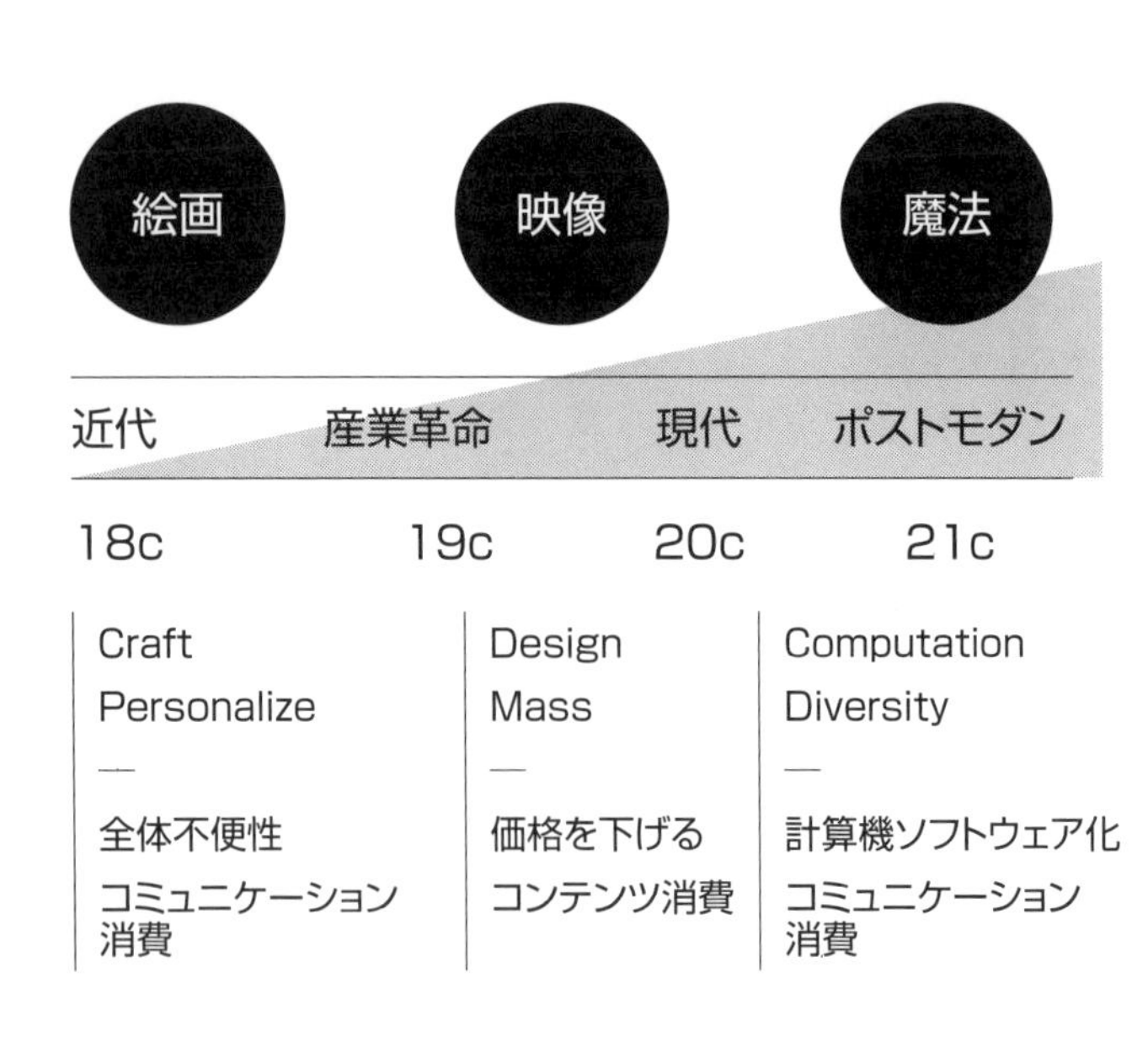

たとえば、インドではヒンディー語のほかに今でも[*31]400近い第二言語が話されています。言語が統一されていない国家があったとき、前世紀的なやり方で生産性を上げるには、統一言語をつくり、教育を施すことでコミュニケーションのしやすさを確保する、というのが近代のやり方でした。

しかしながら、そこに人工知能を用いた自動翻訳ツールが入ってきたら、そういった人々の均質化を行わなくても意思疎通が取れるようになります。

これまでのインターネットは統一された「マス」だったのですが、今後、インターネットは個人化していきます。その個別最適化のための関数の名称が、総じて「人工知能と呼ばれているもの」である、というのが僕の現状把握です。

オープンソース[32]とパーソナライゼーション[33]技術によって、我々一人ひとりの能力はインターネットという環境知能によって向上し、たとえば一人ひとりが旧来のウェブサービスに匹敵するサービスを運用することや、マスメディアに匹敵するサービスをつくることも可能になっていくはずです。

そういった意味で、次のキーワードは、「どうやって我々は、本当の意味で、『近代[34]』を脱していくか」ということだと思います。それは人が働くことによってもたらされるボトルネックを解放していくことです。

みなさんは「今は現代であって、近代ではないだろう」と言うかもしれませんが、法律の仕組みや教育プロセスなど、今の社会の統治法を決める仕組みは、過去150年間ぐらい変わっていません。我々はまだ終わらない近代を生きているのです。

現代とは、マスが拡大しすぎて、人間の想像[35]の限界を超えてしまった制御しづらい近代のことだと思っています。これが現代化するには、人間の再定義[36]とコンピューテーショナル[37]な考え方が必要なのです。

近代とは何か

近代の仕事、サービス、教育などの基本的な枠組みは人材のタイムマネジメントの問題だと考えています。

国民国家が、個人について考え、生産を行う上で、人間同士の〝時計〟をそろえて、労働単位に時間を掛け算したものとして人間を扱っていくことが、近代の成立の上では不可欠でした。スコラ哲学[*38]からマルクス[*39]に受け継がれた考え方です。

産業革命時の一番大きい変化のひとつは、タイムマネジメントという概念が導入されたことです。それによって、近代の軍隊や工場が成り立ち、T型フォードのような大量生産方式が生まれました。紋切り型の教育と紋切り型の製品を扱う大衆は、マスコミュニケーションによってコンテンツを消費する存在として「マス」を形成し、「映像の世紀の大衆」[*40]になっていきました。この点については2015年に出版した『魔法の世紀』[*41]にも詳しく書いています。

「近代以降」、集約されて働くことによって生産効率を上げていった我々の社会はみな同じ考え方を持っています。「時間を同期して、かつ、労働力の単位で区切っていく」という考え方は、1800年以降、非常に顕著です。しかも2018年の今ですらワークとライフをバランスするといって、特定の時間で労働を終わらせる時間の問題に終始しています。

近代的教育を引き継ぐ形で日本の学校教育の大部分は画一的です。僕はよく「劇場型の教育」[*42]と言いますが、当時は、解像度[*43]の十分に高いテレビモニターや人の代わりに働ける人工知能ロボットが人数分存在しなかったので、そういった教育装置、謂わば多人数のためのテレビの代わりに先生を置いて、先生はまるでテレビのように全員に、同時に同じコンテンツを提供していました。

その提供形式は、今も大学の講義などで残っていますが、これは非常に「近代的」です。なぜなら、各々が授業の途中で、改めて聞き直そうとしたら授業が進まなくなって破綻するからです。情報を提供する仕組みなのにそんな簡単なこともできないのです。

しかし、技術を発展させるのではなく、そうした近代的教育を施し、人の側を均(なら)すことによって、人は会話[*44]のプロトコルや行動[*45]のプロトコルをそろえることができ、結果として、大きくGDPが上がりました。全体で見れば生産性が高い社会になったのです。近代の定義する標準的な「人間」が人権[*46]や人格[*47]や個人[*48]などさまざまな概念とともに生まれたのです。

この「人間」[*49]の誕生による生産性が高い社会は、たとえば、角砂糖の角をそろえたような人を許容しますが、そこからはみ出した人を許容しません。障碍者という言葉は健常者とい

マス生産vsダイバーシティ生産

問題を発見する

デザイナーが考える

均一な生産

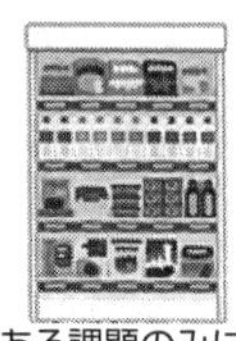
ある課題のみに対応する商品

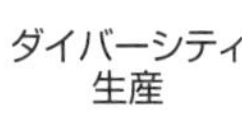

問題を発見する

ソフトウェアが個別につくる

多様な生産

課題ごとの問題解決

う概念がなければ存在しませんし、マスがなければ[*50]マイノリティも存在しません。[*51]画一的定義によって分断されるマスとマイノリティの対立が「人間／Human」の時代、つまるところ、ここでいう近代です。

ManとWomanの差を考えたとき、その男女差別はManの意味が規定されたときから潜在的に始まったのではないでしょうか。何が標準的か、マスか、マイノリティかと、一方が生じると他方が生じる[*52]二項対立で考えることから抜け出せなければ、近代を脱することはできないでしょう。

そうした歴史が生んだ[*53]ダイバーシティ問題は根深いものがあります。男女差別の問題はまだ完全には解決されていませんし、健常者と障碍者の問題も解決されていません。健常者を生み出したから障碍者は生まれましたし、男女が結婚するのが当たり前としたからLGBT[*54]は生まれました。マイノリティとダイバーシティの問題はいまだに解決されていません。

肌[*55]の色の差別に関しては解決されつつある国が多いですが、あまり解決に向かっていない国もあります。こうした問題というのは、人間を標準化するというところから生まれたというのが、これまで多様性について学んできて僕が気づいたことです。

今、我々は標準的な人間や角砂糖の角をそろえたような人を想定したとき、コンピューターの進歩によって画一的な行動を取れる能力に関しては、自動化や統計的処理に勝つことは難しいでしょう。

機械学習は大量のデータに基づく統計的な処理ですし、近年流行しているディープラーニングという手法はもちろん、古典的なクラスタリングや条件分けのプログラムですら、画一化された処理は人間より得意です。こうした機械の持つ能力とダブっている能力は、今後、ほとんど考える必要がなくなるでしょう。

つまり、近代的教育を施して、人を均していくことをやめなければならないのです。それこそが、マイノリティの問題やワークライフバランスの問題に対する抜本的な解だと思います。

結局、インターネットが我々に何をもたらしたかというと、最初に「大きいマス」という概念をもたらし、今は、インターネットが「マス」から「パーソナライズ」へ移行しようとしているのです。今のインターネット上には、ほぼＢｏｔと区別がつかないような人間がいっぱいいますが、インターネットは、画一的に均されてしまった近代教育人類が機械に吸収されつつあるのです。

今までの近代というマス世界＝「1対Ｎ」の世界から、現代という多様世界＝「Ｎ対Ｎ」の世界になると、「技術を[56]オープンソース化していくこと」と「それを[57]パーソナライズしていくこと」が一番のキーワードになります。そして、パーソナライズを支える[58]ベーシックテクノロジーは何かというと、ＡＩやコンピューターサイエンスと呼ばれるような、統計的に処理できて、コストがほぼゼロでコピーできる情報処理だと僕は思っています。

「最適化を目指せる」それこそが、これからテクノロジーによって起こる社会変化の本質なのです。

自動翻訳が劇的に普及する

それでは、これから進化するテクノロジーは、我々の生活や仕事をどう具体的に変えていくのでしょうか。まずわかりやすいのが、自動翻訳による多言語対応やコミュニケーションの進化です。

近年、翻訳自体の精度は日進月歩で上がっています。機械学習用のデータセット、アルゴリズム、ハードウェアの盛り上がりもあって、自動翻訳は直線的に成長しています。僕が学部生だったときには、あと100年くらいかかると先生が言ってたものが、次々に実現化されるようになってきました。ロジカルにきちんと話せる人であれば、正確に自動翻訳してもらえるので、何語でも自由にコミュニケーションできる時代に向かっています。そうなると、人が翻訳すること自体もバカらしく思えるようになるのではないでしょうか。

現時点で、自動翻訳は誤訳もありますが、それは、話し手に問題があるケースが大半です。どの単語と、どの単語を組み合わせればうまく翻訳してくれるのかという、文の論理構造や主語述語の対応関係、曖昧な意味でとらえられやすい言葉を押さえていない。つまり、話し手が機械に翻訳されやすい話し方をマスターできていないのです。

たとえばLINE翻訳だと、「今日、一緒にご飯に行きませんか?」の場合、「ご飯」が「rice」と訳されるから誤訳になってしまう。しかし、「今日、一緒に夕飯に行きませんか?」と直せば、ちゃんと翻訳してくれます。このように繊細な言葉選びができれば、スムーズに自動翻訳できます。

日本語には「お疲れ様」「よろしくお願い致します」など、日本語だけで通用する表現が多くあり、これらの表現に相当する英語の言い回しも複数あります。ただ、将来的には、そういう文化的差異もＡＩが自動的に補ってくれると思います。たとえば、グーグル翻訳がいつも文末に「では、よろしくお願いします」と自動的に書いてくれたりするかもしれません。このあたりは個人と文脈にチューンナップされていくと思います。

書き言葉でも自動翻訳の精度は高いです。論文では、しっかり言葉の意味を定義し、５Ｗ１Ｈも意識しながら書き進めるので、よく推敲された論文は最近の機械翻訳ではおおむね完璧に訳せます。端的には、「誰が、何のために、何をするのか」さえ明確に書けていれば大丈夫です。日本語は主語が抜けがちですが、そういった曖昧な言葉を丁寧に補い、構造を意識すれば、マイナー言語でも問題ありません。

よく機械翻訳をバカにする人がいますが、それは機械翻訳がバカなのではなく、話しているほうが対応できていないのです。誤訳が多いというのは誤りで、誤訳はそもそも、もとの文の構造が間違っていたり、曖昧な単語や文脈に依存する言葉を多用していたりすることが原因なのです。

僕はポケモンＧＯが出てきたとき、最初はそんなに流行しないだろうと思っていたのですが、実際サラリーマンがスマホ片手に仕事の合間にもやるようなアプリケーションになりました。街中に不思議な光景をたくさんつくりました。

実世界にそれだけドラスティックな変化が起きうるのです。

同じように「日本語でロジカルに書けるから機械翻訳で訳せばいい」と思う人がたくさん出てくるのではないでしょうか。すると、文化理解でなく英語というツールの習得に命をかけてきた人はつらい。予想もしなかったことが起きる時代なので、ある瞬間を超えたらドラスティックに言語翻訳・通訳は機械に変わることもありえると思います。

今、僕は何かモノを見せるとき、それが何かを説明してくれるロボットを一緒につくるようにしています。グーグル検索のAPI（アプリケーションプログラミングインターフェース）を入れれば簡単にできてしまいます。今後は「訳せない」こととは、考えがまとまっておらず、コミュニケーションが取れないことと同義になるのではないでしょうか。

日本のサービスが世界で売れる

自動翻訳が発達すると、日本のサービスを世界に出していきやすくなります。とくに、飲食店のように、日本のサービス提供価値がほかの国より高いビジネスにとっては非常に大きなビジネスチャンスになるでしょう。

DJのスティーヴ・アオキさんの父である青木廣彰さんが創業した、鉄板焼きレストランチェーン「BENIHANA」や、ラーメン系に見られるような海外サクセスストーリーが、食の分野では多く生まれてくると思います。一部のサービス業においては、日本国内でつねにレッドオーシャンで戦っていますから、そのサービスレベルは世界的にもかなり高いはずです。一方、IT産業のように、天才が一人いれば変わる分野に関しては、日本は今、すごく競争力が低い。ここは教育を含めてグランドデザインが必要でしょう。

加えて、コンテンツ分野も結構大変です。英国のBBCがつくっているドキュメンタリーや、ハリウッド作品のクオリティは高い。予算の違いがあるので、日本のテレビはBBCのクオリティにはなかなか追いつけません。自動翻訳が当たり前になって、コンテンツの言語の壁がなくなったとき、どちらが有利かというと、やはりBBCのような海外コンテンツのほうでしょう。アニメやクールジャパンのコンテンツだけでは心もとないです。

ミレニアム世代は東南アジア諸国を見ていても、触れるサービスやユーザーインターフェースは、だいたい各国で体験しているものと同じです。スナップチャットだったり、インスタグラムだったり、アメリカ発のものを使っています。

今、僕がフェイスブックで友達とやりとりしているとき、見知らぬ言語でコメントされても、機械翻訳すれば、何を言っているかわかります。ユーチューブでもそれは同じで、読めない言語でコメントを書かれますが、右クリックでフランス語でもイタリア語でもだいたい内容がわかる程度に翻訳されます。

こういったコミュニケーションをイメージする上で、『攻殻機動隊』[*63]のハリウッド版を思い返すと面白いです。

映画の中で特徴的なのは、北野武さんが演じているシーンです。周りの登場人物はみな英語でしゃべるのですが、北野さんは、セリフ数が多いのにもかかわらず、最初から最後まで日本語しかしゃべりません。しかも、その言葉が劇中では字幕は何もついていないのに、周りの人間はすべて理解しているというシチュエーションで進んでいきます。あの音声言語は統一されていないが、コミュニケーションが可能な多様さは未来的でした。

つまり、言葉は違っていても、同時翻訳技術でコミュニケーションが取れるようになるのです。以前、マイクロソフト[*64]の自動翻訳がすごいと話題になりましたが、数年前に比べるとよくできています。中国語もほぼ完璧に訳せていましたし、仕事のミーティングで使えるレベルでした。統計処理は日常会話を吸収しうるのです。

僕は、英語は字幕がつけば、ネイティブと同じ速度で話すことができます。だから、聞き取れない単語があっても、スカイプの画面を開いておいて、リアルタイムで字幕がついていれば、それで意味を理解できます。スカイプさえあれば、海外に講演に行っても全然問題なくなっているわけですから、これは革新です。

自動運転タクシーを安く使えるようになる

自動翻訳と同じように我々の生活や仕事を大きく変えるのが、身体性にかかわる革新、やはりロボティクスと自動運転でしょう。

2025年ぐらいになると、日本でもある程度、自動運転車が走っているはずです。僕が自動運転を体感してみてよく感じるのは、一度自動化してしまうと、次に誰か人間に運転してもらうことが馬鹿馬鹿しいと思うようになる、ということです。サービスを伴わない車の職業運転手は、昔のエレベーターガールのような存在に近くなるでしょう。

もしタクシーが自動運転になったら、手紙がEメールになったときのように、ものすごく頻繁に自動運転タクシーを使うようになるはずです。単純に、Eメールやデジタルカメラのことを思い出してください。手紙をやりとりしていた回数よりはるかに頻繁に、Eメールでメッセージを送信するようになりました。昔のカメラの撮影回数に比べて、デジタルカメラによってその頻度はずっと多くなったのです。

未来の僕らはきっと、未来のタクシーにかなりの時間乗っているはずです。なぜなら、そのほうが時間を有効に使えるからです。これまではタクシーやハイヤーを使うのはコストがかかるので、全員が使うことはできませんでしたが、自動運転になるとぐっとコストも下がります。いずれは誰でも使える価格になっていきます。その恩恵をもっとも受けるのは高齢者です。体が動きにくくなっても、自動運転があれば自由に移動できるようになるのです。

今でも僕は、都内ではタクシーでしか移動しませんが、タクシー代は大体月に20万円くらいです。タクシーを使うことで時間を捻出していて、車中ではずっと仕事をするか仮眠しています。そう考えると、1日2時間を捻出でき、単純計算で月に3日分くらい人より長いことになります。労働時間に換算すると5日くらい人より長いことになります。それで1日4万円くらいの仕事ができるなら採算に合います。

今でも、大物芸能人の中には都内に住まずに、葉山や鎌倉のほうに住んでいる人もいます。都会から離れた豪邸に住むのは、迎えの車が来たり、運転手付きの自動車を持っていたりすれば、遠くても移動の苦痛があまりないからでしょう。自動運転が始まって、移動コストがどんどん安くなると、こうしたライフスタイルが普通の人にも広がっていくはずです。

しかも、自動運転での移動は快適です。完全な自動運転が実現すれば、最適な経路を選んでくれますので、渋滞のストレスなく移動できるようになります。今でも、日曜日の朝に都心部でタクシーに乗るとスイスイと走れて気持ちいいですが、自動運転になれば、毎日があれくらいスムーズに移動できるようになるはずです。そういう世界観をイメージして何を作るかを考えなくてはいけない。

コンピューターによる最適化を進めると、もちろん移動するためのコストも下がるでしょう。とくに大きなインパクトがあるのは、トラックや物流の自動運転です。自動運転になれば、流通コストが劇的に下がりますし、交通事故も劇的に減ります。ですから、自動運転のテクノロジーというのは、高齢化社会や人口減少に差しかかった我々の社会のデザインには必要なのです。タクシー、ハイヤー、トラックの運転手など、必要でなくなってしまう人の数はかなり多いですが、社会全体で見ると、明らかに生活を豊かにするのです。

今後、自動運転が普及すると、家や土地、さらには今の「路線価[*65]」という概念もあまり意味がなくなってくるでしょう。都心に住む意味が薄れて、軽井沢、葉山、鎌倉などから通う人がますます増えて、地価がより上がるかもしれません。

飲食店などの立地も変わってくるでしょう。今の食べログは、首都圏や駅周辺の店を使うユーザーを想定してつくっていますが、都心から離れた場所や交通の便の悪いところでも、繁盛するような店が多く出てくるのではないでしょうか。

今、僕が注目しているのは御殿場[*66]プレミアム・アウトレットみたいな施設です。アクセスが悪くはないけれども、自分で運転するには移動コストが高いと感じるような場所です。自動運転が普通になれば、そうした施設が、移動する際のハブのような場所になって、人が集まりやすくなるかもしれません。

東洋のイメージをブランディングする

自動運転によって、近代という枠組みも変わっていきます。テレビが典型ですが、近代、とりわけマスメディアの時代が生んだ工業製品とは、人間が受動でいられるためのものです。その消費において能動する必要がありません。つまりシステムの中で「自分で動かなくてもいい人類を育てる」というのが、近代以降の考え方なのです。

しかし、自動運転は受動ではありません。これは、電話などのコミュニケーションツールの発明のようなものです。自分で運転する必要がないため、むしろ能動になってしまいます。「これまでは運転することで、自然と時間が潰せていたのに時間が潰せなくなっちゃった。余った時間で何をすればいいんだ」と個人に問うことになるのです。これは結構な苦痛でしょう。運転とは一見、能動のように見えて、実はやるべきことが与えられているという点で受動なのです。

自動運転によって移動の概念そのものが変わります。移動が自然に溶け込むのです。僕は「Transportation as Nature（トランスポーテーションアズネイチャー）」[*67]と呼んでいるのですが、「End to End Transportation（E2ET）」[*68]、つまり目的地と目的地の間をトランスポーテーションするということが普通になって、「運転」それ自体をあんまり意識しなくなります。車に乗るという行動が、無意識に行われるようになるのです。

言い換えると、目的地と目的地があって（移動のための）手段は関係なくなり、エクセルのセル[*69]を2つ埋めるような世界観になっていきます。それを人間は自然に受け入れられるようになり、その間の生活は多種多様になっていきますので、各人の生活を一様に規定することと自体がナンセンスになると思うのです。

たとえば僕は、タクシーに乗っているときに、車に乗っていると思っていません。仕事をしよう、寝よう、と思ってタクシーに乗るのです。車はより生活に溶け込み、今は車に乗らない人も車に乗るようになります。人によっては住空間に特化してもいいし、寝る空間に特化してもいいし、仕事をする場所に特化してもいい。そこで何をするかはユーザーが自由に決めればいいのです。

ただし、こうした大きな潮流を日本の自動車メーカーはとらえ切れていません。「End to End」のトランスポーテーションという概念を受け入れられず、「ユーザーにどう車を使ってもらうか」をおせっかいに定義しすぎています。道具としての車にこだわりすぎているのです。

これからの自動車企業は、道具ではなく、生活様式、ライフスタイルを定義するブランドみたいなものになっていくでしょう。国内企業も乗る人の生き方を規定してあげるブランドのようなものになっていかないといけないのです。

たとえば、スタバでMacを広げて耳にAirPodsをつけて、腕にApple Watchをつけて、ポケットにiPhoneを入れているというのは、生き方ではないでしょうか。アップルは単なる製品ではなく、ライフスタイル自体をデザインしているわけです。

だからこそ僕はよく「トヨタはトヨタフォンをつくったほうがいい」と言っていました。トヨタが車だけにこだわる必要はまったくありません。しかも、生産コストが下がっているから、やれることはやるべきなのです。これからはライフスタイルブランドにならないといけないのです。トヨタの今後のライバルは必ずしも自動車メーカーではありません。ライバルはＬＶＭＨ[*70]かもしれないのです。

では、なぜＬＶＭＨはブランドが強いのかというと、フランス的なクールさと時代性から、その時代の価値観に合ったスタイルを切り出せるからです。

僕たちが西洋がクールだと思い込んで、東洋がクールでないとする時点でブランディングされているのです。たとえばパリコレはなぜパリでやるのでしょうか。また今、マインドフルネスという言葉がはやっていますが、これはもともと東洋にあった考え方を横文字にしたものです。西洋人は西洋人をかっこよく見せようと必死なのです。しかし、目的ありきのマインドフルネスが本当に理解されているかは僕ははなはだ疑問です。

まずは、我々が変な外来語をやめて、東洋的なかっこよさをつくっていくべきです。「東洋はかっこいい」――そう僕たち自身が思えるように、そういうイメージをブランディングするようになれば、日本企業は未来の競争にもきっと勝てるはずです。

5Gでテレプレゼンスへ

自動運転と同じく、未来に大きなインパクトをもたらすのが、次世代通信システムの5G*[71]（第5世代移動通信システム）でしょう。

今、日本のモバイル通信は4GやLTEの段階ですが、これが5Gになると、通信環境が劇的に変わります。現在*[72]の4Gに比べて、通信速度は100倍、容量は1000倍になると言われています。この5Gを日本は、世界に先んじて2020年から東京でスタートする予定です。日本は5Gの最先進国になるのです。

今も日本では、4Gの接続率がすごく高い。3G*[73]・4Gの普及率は約95%で、韓国に次いで世界2位です。今でもシリコンバレーに行くと、「なんでこんなに4Gが弱いの」と感じることはよくありますが、モバイル通信に関して、日本は世界の中でもとても進んでいます。なぜ日本ではこれほど普及率が高いかというと、テレビが強いからだと思っています。[*74]どういう意味かというと、日本の人たちは、テレビが都会でも田舎でも全国どこにいてもつながるというのが当たり前なので、それと同じように携帯もどこでも同じようにつながることを求めるのです。そうでないと、ユーザーが怒ります。ほかの国は、そうした一元的な価値観に支配されていないので、「スマホなんて使わなくてもいいじゃん」という人もいるのですが、われわれは、公平でないと、すぐクレームを入れるのです。5G回線が、東京と同じように地方の山奥でもつながらないと不便を感じてしまうのです。とにかく、インフラのテクノロジー水準の公平性に関する要求が高いのが、日本なのです。

こうした日本のやり方やユーザー態度は、コストがかかって効率が悪いのですが、こと5Gに関しては、むしろ有利に働きます。日本はすでに携帯電話網が全国に広がっているので、うまくインフラ投資を行えば5Gが全国に一気に広がります。このテクノロジーを生かしやすくなるのです。5Gが入ったら、日本は他国よりはるかに住みやすくなると思います。

とくに5Gで重要なのは、遅延がほとんどなくなることです。5Gになると、たった1ミリ秒の遅れで情報通信ができるようになります。[*75]1ミリ秒の遅れというのはとにかく速いです。人間の出入力感覚では、遅れを体感しないレベルです。

この低遅延化というのは、5Gのもっとも大事な特徴のひとつです。今までは遅延があると危険で不快に感じていた領域でも、テクノロジーを活用することができるようになります。医療ロボットによる手術もそうですし、自動運転や、コミュニケーション[*76]、テレプレゼンスもそうです。

5Gがもたらす恩恵の重要な点は、「空間伝送」[*77]がとてもやりやすくなることです。「空間伝送」とは、ほかの人と3次元の空間を共有することを意味します。会議などが典型例です。

今のスマートフォンというのは、あくまで2次元伝送のための装置のひとつです。たとえば、スマートフォンを使えば、画像をメールで送ったり、ツイッターに画像を上げたり、ユーチューブに動画をアップしたりできますが、それは今、すべて2次元のものです。

それに対して、5Gの大容量になれば、3次元的な空間そのものを共有することもできるので、それに合った新しいアプリケーションが生まれてくるはずです。たとえば、テレビに出演するときも、わざわざスタジオまで行かなくても、テクノロジーで自宅とつないで、あたかもスタジオにいるように見せることも可能になりますし、その遅延が少なくなります。

日本ではいまだに、スカイプやリモートの会議システムを使うよりも、顔を合わせた会議のほうがいいという人は多いですが、5Gが始まると、遅延なくスカイプや会議システムでコミュニケーションができるようになります。5Gになれば、スカイプやビデオが自然に滑らかにつながり、画面の解像度も高くなりますし、ユーチューブもまったく切れなくなります。そうなれば、今はスカイプを受け入れないおじさんも、受け入れてくれると思います。ですから、みんながひとつの場所に集まって話すという行為はかなり減っていくはずです。

全員が移動するのは膨大なコストがかかりますから、スカイプが快適にできるのであれば、スカイプのほうが断然いい。うちの会社の定例会議もいつもスカイプでやっていますが、まったく問題がありません。これからは、ずっと軽井沢などの遠隔地にいて、そこで会議をしたり、社員に指示したりする社長も増えてくるはずです。

今は、都心の土地が高いので、所得が低い人に限って遠くに住まないといけませんが、往復3時間ぐらいかけて会社に通うのは、時間の浪費になる場合が多いです。5Gが普及して、自動運転も広がったら、通勤地獄はある程度緩和されるはずです。

5Gで自動運転車がつながる

5Gの持つ効果は「空間伝送」だけではありません。5Gによって「自動運転」も進化します。現在は〝オフライン〟[*78]の自動運転が、5Gの普及によって、〝オンライン〟の自動運転になるのです。

これはどういう意味かというと、現時点での自動運転はあくまでオフラインの自動運転にすぎません。自動車の中にプログラムが搭載されていて、オンラインへの逐次問い合わせをするわけでなく、それに従って動いている形です。処理のコアはあくまで自動車の中にあります。それに対して、5Gで遅延なく情報の伝送ができるようになると、ある程度は自動車の内部で情報処理をする必要がなくなります。自動車と別の場所、たとえば基地局などにサーバーを置いて、そことオンラインでつながればよくなるのです。

今も、スマートフォンで動画を長く見ていると、端末が熱くなってきますが、あれは端末側で情報処理をしているからです。そうではなく、スマートフォンも自動運転車もあくまで情報を伝送するための機械とみなして、別の場所から制御するようにすれば、かなり演算量も減りますし、消費電力も減るはずです。

それだけでなく、車同士がつながれるようになります。車間コミュニケーションが発達する[79]のです。それによって、互いの車がどういう状態で走っているのかをリアルタイムで伝え合うことができるようになるので、さらに事故が減るでしょう。

今は同じことを自動車にセンサーをつけてやろうとしていますが、5Gによる車間コミュニケーションのほうがおそらく効率的です。そして、センサー[80]に頼るよりも、ハードハッキングのリスクを減らせます。

5Gでつながると、サイバー攻撃に脆くなるように思う人もいるかもしれませんが、むしろ逆に強くなります。実は、普通のオフラインの自動運転車をハード的にハッキングするほうが簡単ともいえます。それは、センサーの位置さえわかれば、ハッキングしやすいからです。自動車というハード[*81]ウェアそのものをハックするほうが、通信そのものをハックするよりも容易なのです。

5Gで3次元のリアルタイム中継

5Gによって進化するのが「リアルタイム中継」です。わずか1ミリ秒の遅延で大容量のデータを送れるようになりますので、リアルタイム中継の可能性が一気に広がります。単にリアルタイム動画を、遅延なく、高画質で楽しめるだけでなく、これまでにない中継方法も可能になってきます。

一例は、3次元の中継です。ホ[*82]ロレンズ（マイクロソフトのMRデバイス）のようなMRゴーグルをかけていれば、3次元で中継をリアルに見られるようになります。サッカー中継でいうと、審判にカメラをつければ、審判の目線から試合を見ることもできますし、いろんな角度から試合を観戦できるようになります。ボクシングなど格闘技の中継も、選手の目線からリアルタイム中継を見られたら興奮するでしょう。

そして今の生中継はエンタメやスポーツがメインですが、仕事にも3次元中継のテクノロジーを生かせるようになるはずです。もちろん会議も3次元ですし、3次元で接客してもらえるイーコマースも登場するかもしれません。家にいながらにして、お店の店員さんと3次元でつながることができて、「いらっしゃいませ、何が欲しいですか」と相談に乗ってもらえるようなイメージです。

今のホロレンズはまだサイズが大きくて使いにくい面もありますが、今後は、もっとコンパクトで軽くて使いやすくて、より低価格のものが出てくるでしょう。仕事するときにかけても自然なグラスウェアができて、簡単にリモートの会議に出席できるようになれば、ノートパソコンを持ち歩くよりもかっこいいという時代になるかもしれません。そうなったら、一般にも急速に普及すると思います。4G時代、3G時代にはスマホが世間を席巻(せっけん)しましたが、5G時代もスマホの天下が続くとは限りません。5Gの時代はゴーグル型デバイスが中心になる可能性もあります。

そしていずれは、ホロレンズをかける必要すらなくなり、コンタクトレンズや埋め込みカメラのようなデバイスができるかもしれません。目の中に入れるというやり方は、ゴーグルをかけるより利便性が高い。目にチップを入れるだけで、MR機能を楽しめるようになるのです。僕はコンタクト型が実現するのは、そんなに先だとは思っていません。この分野は研究がとても盛んですので、グラス型だけなら、おそらく今後4、5年間で結構ブレイクするのではないでしょうか。

5Gで触覚伝達を

5Gが生まれると、「触覚」も進化します。繰り返しですが、1ミリ秒の遅れというのは、本当に速い。もう完全に紙に文字を書くのと同じスピードで、タブレット[*83]にタッチペンで文字を書けるようになります。自らの触覚の動きを、遅延なく再現することができるようになるのです。

そうすると、遠く離れた人に対して、物理的な干渉行動を起こすことができるようになります。その典型が遠隔手術[*84]に代表されるようなテレプレゼンスロボティクス技術です。遠隔手術の試みはこれまでもありましたが、情報通信の遅延が大きなネックになっていました。しかし、5Gになれば、遅延を気にせずに、リアルに極めて近い形で手術することができます。医師の動きを、別の場所にいる手術ロボットが遅延なく正確に再現し、手術を行うことができるようになるのです。それによって、日本の医師が、英国の患者の手術をするようなことも可能になります。

同じことが、介護についてもいえます。僕は、遠隔介護[*85]の研究に力を入れているのですが、ここでも、一番のネックになったのは遅延でした。たとえば看護師さんが、離れた場所からリモートの車いすを操作する際に、通信の遅れが出ると、どうしても人やモノにぶつかりやすくなってしまいます。しかし、５Ｇで遅延がなくなれば、事故が起きるリスクを大きく減らすことができるのです。

遠隔医療や遠隔介護が可能になれば、医療や介護の現場が効率化し、時間のコストを大きく下げられるはずです。しかも、今まで人がやっていたことを、自動化されたロボットが担えるようになりますので、現場の人手不足も補うことができます。そして、手術がうまいカリスマ医師が、現場まで行かなくても手術ができるようになれば、今よりも多くの人命を救えるようになります。

さらに、５Ｇは子育て世代にも恩恵をもたらします。たとえば、子どもの見守りサービスです。今は、子どもを家に置いておくのは不安ですが、５Ｇで常時つながれば、家にいる子どもをつねにリアルタイムで見守ることができるようなサービスが出てくるでしょう。そうしたサービスを今の４Ｇのネットワークで実現するのはコスト的に割に合いませんが、５Ｇになれば、安くサービスを提供できるようになるはずです。同じようなシステムを使って、高齢の両親を、子ども世帯が見守ることもできるでしょう。

ここまで5Gのメリットを述べてきましたが、5Gという技術は、日本全体に大きなメリットをもたらす、インフラテクノロジーなのです。5Gというインフラのイノベーションが起きることによって、いろんなビジネスチャンスが一気に広がるのです。これから日本では、5Gの技術を生かしたスタートアップも生まれてくると思います。日本が5Gに世界に先駆けて乗り出すのは、日本にとって大チャンスです。5Gが急速に普及していく2025年までの日本はインターネットインフラ先進国になるはずです。

「デジタルネイチャー」とは何か

先ほど、5Gの普及により、3次元のリアルタイム中継が可能になると話しましたが、これからの世界は、どんどん物質とデータや映像との区別がなくなっていきます。VR（仮想現実）、MR（複合現実）、空間ホログラムなどの技術の発展が、物質と実質との融合を推し進めていくのです。そこに、新しい自然観が作られるのではないかという考えが僕にはあります。[*86]

これから2025年、2030年に向けて、世界は「デジタルネイチャー（計算機自然）[*87]」

へ向かっていくはずです。この「デジタルネイチャー」こそが僕が未来を考える上でのキーワードです。

「デジタルネイチャー」とは何かという定義をお伝えすると、ユビキタスの後、ミックスドリアリティ（現実空間と仮想空間が融合する「複合現実」）を超えて、人、Ｂｏｔ、物質、バーチャルの区別がつかなくなる世界のことです。そして、計算機が遍在する世界において再解釈される「自然」に適合した世界の世界観を含むものです。

「デジタルネイチャー」は、英語では「Super nature defined by computational resources」と説明することが多いのですが、コンピューターによって定義されうる自然物と人工物の垣根を超えた超自然のことです。デジタルとアナログの空間をごちゃまぜにしたときに現れうる本質であり、従来の自然状態のように放っておくとその状態になるようなコンピューター以後の人間から見た新しい自然です。それは、質量のない世界にコードによって記述される新しい自然みたいなものともいえます。それが質量や物質や人間と交ざり合って新しい自然をつくる。僕らの研究室では、それをデジタルネイチャーとして未来イメージをとらえようとしています。

その中で世界のあらゆるところに多様性が生まれます。あらゆるデータの表現系[88]は二分法

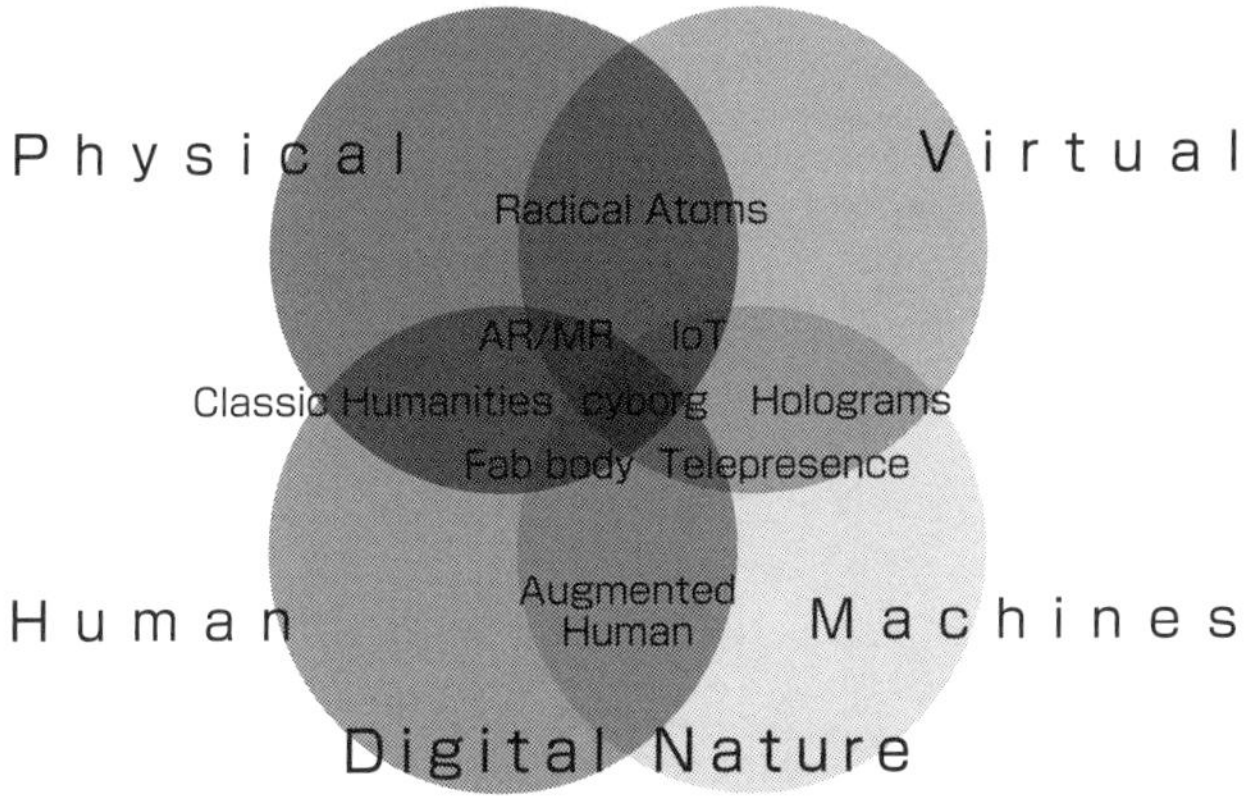

Physical
Virtual
Radical Atoms
AR/MR
IoT
Classic Humanities
cyborg
Holograms
Fab body
Telepresence
Augmented Human
Human
Machines
Digital Nature

からグラデーションになっていき、人間[*89]の知性は個と全体の垣根を飛び越え、近代的人間性から超克される、と考えています。そのための自然観について僕は、研究者としてリサーチしながら起業家として製品の社会実装を目指しています。

　この考え方のポイントは、[*90]「リアル／バーチャル」や「フィジカル／バーチャル」など二分法や二項対立で分けたがる世界を突破するために、人間という考え方も含めて、すべてをミックスしてしまうということです。自然そのものも更新されうるということです。

　つまり、あらゆるものは情報の表現形態として今までになかったようなスピードで相転移するというのが、僕が考えているビジョンです。この相転移が前世紀にイノベーションと呼ばれていたものの本質だと僕は考えています。

今後、まずは、Ｂｏｔと人間の区別がなくなる世界がおそらく到来します。今でもすでに、（マイクロソフトの女子高生ＡＩである）りんなちゃんとトークすると、人間なのかＡＩなのか区別がつかなくなっています。そうしたことが一般的になっていくと思っています。たとえば、りんなちゃんに、僕について聞くと、世間の女子高生よりよく知っていたりもします。

さらには、ＣＧと実物の見た目の区別がつかなくなります。むしろそれの認知コストをかけることが不要な世界も来るはずです。完全に慣れてしまったものは情報の表現系がどういう形をしているかより、それがどういう本質でどういう対話性があるのかのほうが重要になるのです。

ＣＧの解像度が上がるにつれて、水槽の中の本物の金魚とＣＧの金魚は、きっと区別がつかなくなっていくでしょう。もちろん、手で触れるものは、今後もリアルとＣＧの差は残りますが、実際に触らないものに関しては、実物とＣＧの区別がつかなくなるのです。我々が今、生花なのか造花なのかを視覚的にあまり気にしないのと同様に、認知的に無視される世界がやってくるのではないかと考えています。

だからこそ、僕らの研究室は現在、触るものに関しては触り心地[*91]のある素材感を追究しながら、それでいてデジタル表示可能なマテリアルの探索研究をする一方、我々が直接触らないものに関しては、ＣＧで極力置き換えるようにしています。

人と機械が融合する自然

リアルとＣＧが融合していくのはモノや生き物だけではありません。我々人間もバーチャル[92]や機械と融合していきます。

たとえば、人間と機械の融合という点では、腕や足の機能を機械で補う人間が増えていきます。足が動かなくなったおばあちゃんが、機械の外骨格をつけて生活する絵も未来ではありません。

もしくは、僕の代わりに講演したり、授業をしたり、テレビ出演をしてくれる、バーチャルな「落合陽一Ｂｏｔ」も出てくるでしょう。そのＢｏｔは、僕の過去の情報を学習しているので、あたかも僕がするような内容の話をすることができるのです。今までは、同時に一カ所でしか講演や打ち合わせや授業をできなかったものが、「落合陽一Ｂｏｔ」がいれば、同時多発的に講演できるようになるのです。

人と機械が融合していくと、近代社会に生まれた、健常者と障碍者のような考え方もなくなっていきます。人間の肉体としての差は、コンピューター、機械と融合することによって大きな問題ではなくなるのです。今我々は、近視で目が多少悪くても、それを障害とは考えません。メガネというテクノロジーによって、メガネをかければ、目が悪くても問題がなくなったからです。それと同じように、手が動かなくなれば、義手や外骨格をつければいいだけの話になる。今、障害と言われているものは、単なるダイバーシティのひとつになる。障碍者も、介助者が必要な高齢の方も、「体[*93]のダイバーシティが高い人」という位置づけになるのです。それこそ僕は一番いい社会だと思っています。

デジタルネイチャーの世界は、ダイバーシティのある人たちにとって優しい、いい世界になるのです。

バーチャルリアリティの世界が広がるにつれて、プ[*94]ライベートという概念も大きく変わります。一言でいうと、情報はもっとオープンになっていって、プライベートというのは、なにかやましいことがあるのではないか、という意味合いになっていくはずです。

たとえば、今、アップルのサファリのブラウザでサイトを閲覧したり、検索したりするときに、「プライベートブラウズ」という機能があって、これを使うと閲覧の履歴が残りません。それを使って大半の人は何をやっているかというと、アクセスを残したくないところにアクセスしているか、他人のスマホを借りているか、やましいことをしているか、性的コンテンツを見ているかです。

お金についても、今後は現金を使う人がいると、「この人は脱税したいからではないか、何かやましいことがあるのではないか」と思われる時代が来るはずです。中国で紙幣が減り、スマホでの決済が増えた背景にも、偽札問題がありましたが、それと同じ話です。

つまり、「オンラインでない＝何かやましい」と言われる時代が来るのではないかと思っています。伊藤計劃さんが書いた長編ＳＦ小説で『ハーモニー』という作品があるのですが、その中でもプライベートというのはすごく卑猥な概念として扱われています。今後数年以内にプライベートという単語の持つ意味合いは変わり、情報がオープンであるのが当たり前になっていくはずです。これはブロックチェーンや仮想通貨の議論でもよく出てきています。

「そんなにオープンだと疲れるのではないか」と言う人がいますが、我々のようなスマホネイティブ世代は疲れにくい気がしています。ユーチューバーを見ていても、プライバシーに関する感覚が違うように見えます。「オープンに疲れること」自体が、近代風の「プライバシー化」の流れにとらわれているのだと思います。

たとえば、空き部屋をシェアするAirbnb[*95]についても、「こんなサービスはなじめない」と言う人がいますが、頭ごなしに否定するのではなくて、むしろ「自分のマインドセットが今風ではないのではないか」と疑ったほうがいい。そういう新しい価値観を受け入れていくほうが生きやすい。それができない人は、ストレスばかりためてしまって、新しい時代の中で、すごくかわいそうな人になってしまいます。

テクノロジー恐怖症との折り合い

今後、世界がデジタルネイチャーに向かう中で、メディアを中心に、テクノフォビア[*96]（テクノロジー恐怖症）を生み出すような議論が出てくるはずです。

当人たちは、ＩＴ機器に囲まれて、フェイスブックを使い、テクノロジーによってもたらされるコミュニケーションやコミュニティに恩恵を受けつつ、それらを批判するというちぐはぐな状況が生まれていきます。全体性の最適化の中で答えのない問題をひたすらに課せられ続ける社会です。

しかし、そういった根拠のないテクノフォビアは、日常をより悪くしていくだけです。我我は、少なくとも悲観的なディ[*97]ストピアより、テクノロジーの流動性がもたらすプ[*98]ロトピアへ向かっていかないといけません。

今後、世代間にある、テクノフォビア的なギャップは、Amazon Echo や Siri のような音声コミュニケーションが解消してくれる可能性が高いでしょう。

たとえば Amazon Echo が北米で行っている実験の例は面白いです。幼[*99]稚園に Amazon

Echoを導入すると、やがて子どもはかなりの割合でAmazon Echoにわからないことを聞くようになるそうなのです。そうしたことが、今後は、当たり前になっていきます。今の大人はわからないことがあったときに、文字ベースでグーグル検索はしますが、「自然言語で機械に直接聞く」という発想がまだ弱い状況です。

しかし、Amazon Echoで育った子どもたちが20年後に主役になれば、音声コミュニケーションが普通になるはずです。おそらく、20年で我々の社会構造が変わるのではないかと思っています。20年ぐらいかけて、過渡期の反応を乗り越えながら、音声認識もどんどんパーソナライズされていくはずです。

たとえば、「今、先生がこう言ったんだけど、あれってどういう意味?」と聞いたら、Siriが答えてくれるようになります。一般的な答えだけでなく、パーソナルな答えも全部応じてくれるようになるのです。

僕自身は、小さいころから、ずっとGUIベースのWindows95などを使ってきていま す。GUIベースのコンピューターに関してネイティブです。ということは、今の世の中には、僕のようにGUIベースでネイティブな子どもたちがいっぱいいて、当然のようにデジタル情報を扱えるのです。

この世代にとっては、ピクセルやボクセル(空間ピクセル)で表現されているものと、原子、分子で表現されているものは、あんまり区別がつかないはずです。その観点からいくと、機械に対し人間が問い掛けることに関して、ネガティブに反応する人間が出てくるのは、非常に面白い社会変化だろうと思います。

ただ、最終的には、ネットネイティブでない世代、音声認識ネイティブでない世代も、新しいテクノロジーに適応していくはずです。結局、スマホネイティブでない世代、シニア世代もスマホには適応しました。

カギとなるのは、誰でも使えるように、いかにインターフェースをシンプルにできるかです。実際、「ガラケーよりスマホのほうが使いやすいわ」と言っているおばあちゃんはいます。その点からいうと、音声コミュニケーションのほうが、スマホより簡単に使えると思います。インターフェースの側を優しくしていくことで、テクノフォビアをデジタル側に引き込めるはずです。むしろ、このデジタルデバイドがない世界に向けて5Gを含めたインフラづくりをしていかなくてはなりません。それが新しい自然であると感じられるようなインフラを。

＊1　ＡＩ　コンピューターを使って、学習・推論・判断などの知能のはたらきを工学的に実現した

ものやその分野を指す総称。この本では個別の手法名を用いるとき以外は、統計的判断や工学的演算によって判断を行う装置やソフトウェアという文脈で用いています。

＊2　**ロボット**　人の代わりに何等かの作業を自律的に行う装置、もしくは機械のこと。この本ではハードウェアを伴う場合を意識的にこう呼んでいます。

＊3　**AR**　2016年ポケモンGOなどで一気に有名になりました。人が知覚する情報に、コンピューターにより拡張する技術、及びコンピューターにより拡張された現実環境そのものを指す言葉です。

＊4　**ブロックチェーン**　分散型台帳技術と呼ばれ、ビットコインの中核技術です。幅広い用途への応用が可能だと言われており、国内外で様々な動きが活発化しています。

＊5　**エジソン**　白熱電球が有名ですが、エジソンは大変多くの発明をしています。起業家でもあり、当時としては早すぎる視点で世界をとらえていました。エジソンの考え方は100年経った今の時代に適しているものも多いです。またヘンリー・フォードとは生涯の友人でした。

＊6　**フォード**　フォード・モーターの創設者であり、工業製品の製造におけるライン生産方式による大量生産技術開発の後援者でもあります。じつは世界で初めて電気自動車を作ろうとしたのはフォードなのです。

＊7　**工業デザイン**　産業・工業において美しさやユーザビリティを追求し、その結果として製品の商品性を高めることが目的の分野という意味で使っています。

＊8　**大量生産品**　工場生産を前提に作られたものであり、流れ作業などの工法で大量に生産された工業製品のこと。

＊9　**マスメディア**　不特定多数の受け手へ向けての情報伝達手段となる新聞・雑誌・ラジオ放送・テレビ放送などのメディアあるいは技術的道具。この本では、そういったメディアに関わる装置・風潮・文化・そしてそれを需要する人々を含んだ広い意味で扱っています。

＊10　**バウハウス**　1919年、ドイツ・ヴァイマルに設立された、工芸・写真・デザインなどを含む美術と建築に関する総合的な教育を行った学校。デザイン教育の祖と言われる。

＊11　**消費行動と消費社会**　統計的に判断可能になる程度に人口が多い、消費行動がマーケティングリサーチ可能な社会という意味で使っています。統計的判断という意味で機械学習や人工知能

ともリンクした概念として本書では扱っています。

＊12 **最初にお金をかけて作って、生産して回収するサイクル**　フォード式の大量生産方式やR&D（研究開発）による近代的生産方式における初期投資と量産の関係性を示しています。

＊13 **品質を保つデザイン**　大量生産品には使い勝手が悪いものが多かったので、そのクオリティを保つために優れたデザインが必要になりました。その意味ではデザインは社会の中で品質を保つための機能として存在したという考え方もできるでしょう。

＊14 **オーディオビジュアル**　いわゆるAV機器のAV。視聴覚。映像という意味でも使っています。

＊15 **電気自動車**　電気をエネルギー源とし、電動機を動力源として走行する自動車。

＊16 **イーロン・マスク**　アメリカの起業家であり、スペースX社の共同設立者及びCEOである。PayPal社の前身であるX.com社を1999年に設立した人物でもあります。

＊17 **人間の能力を拡張する技術**　たとえばAR、VRのみならず、装用ロボティクスや視聴覚補助・ウェアラブルカメラによる記憶補助など多くの研究がされています。

＊18 **バーチャルリアリティ**　人の現実認識を工学によって書き換えたり拡張したりしうる技術。

＊19 **ミックスドリアリティ**　現実空間と計算機による空間を混合し、現実のモノと実質的なモノが影響しあう新たな空間を構築する技術全般。

＊20 **空間ホログラム**　空間に対して波動の強度差や位相差を考える分野のこと。たとえば空中に映像を表示したり音を表現したりなどの研究があり、僕の研究室でもやっています。

＊21 **3Dプリンティング**　3DCGデータを元に立体を造形する3Dプリンターを使って立体物を形成すること。僕の研究室でもいつも使っています。

＊22 **人の介在しないCAD設計**　人工知能や最適化計算によって人が設計しなくても対象物を自動設計するような分野のこと。CGの研究分野で研究が盛んで、僕の研究室でもよくやっています。

＊23 **カスタマイズ**　計算機テクノロジーの進歩により、人間の工数をかけなくても多様な個々人に合わせた製品を作ることが以前よりも容易になってきました。

＊24 **体験の自動化**　体験が無意識的になり、コンピューターに支えられることで生活の中に溶け込んでいくこと。たとえばゲームを行うことが生活の中に組み込まれ健康増強にもつながってい

たりするようなこと。

＊25 **3次元化と生産の個別化**　今まで2次元の映像や2次元の印刷メディアなどを用いてコミュニケーションしてきたことや大量生産品を扱って皆で同じものを共有してきたことを超え、空間に対して3次元の表現を行うことや計算機を使ってカスタマイズすることを指しています。

＊26 **エジソンとフォード境界**　エジソンとフォードによる大量生産品、工場生産、電化製品、自動車などの近代工業社会以前と以後の間のギャップを指して使っている筆者の造語です。

＊27 **機械学習**　人工知能における研究課題の一つで、知能が自然に行っている学習能力と同様の機能をコンピューターで実現しようとする技術・手法のこと。多くの手法がありますが、最適化も機械学習の一分野です。

＊28 **ディープラーニング**　多層のニューラルネットワークによる機械学習手法。ＧＰＵによる演算による高速化など、研究開発も多く行われています。特徴量の定義を行う必要がない反面、データ量は膨大になるので実アプリケーションへの適応がまだ難しいものも多いです。

＊29 **コンピューテーショナルな変革**　コンピューターによる自動化や最適化によって人間が対応することによって回してきた社会システムを更新しうるということを意味しています。

＊30 **近代のクラフトマンシップの時代**　近代のものづくりの手法は人間が判断し人間が製作していたものですが、それを機械学習や自動化の時代と対比してこのような説明の仕方をしています。

＊31 **400近い第二言語**　国土が広いこともあり、たくさんの言語が使われています。通貨「ルピー」のお札には13〜15の言語でその紙幣がいくらなのか書いてあるほどです。

＊32 **オープンソース**　ソースコードのライセンスについて自由な改変を認めたり、権利の継承を定めたりすることによって広く一般に公開し、誰でも自由に扱ってよく、コミュニティによってメンテナンスや運営をしていくような方法論を中心とした考え方。

＊33 **パーソナライゼーション**　個人に最適なモノ・ソフトウェア・体験価値を提供するというジャンル・分野・戦略、あるいはそのための技術を広く指しています。

＊34 **本当の意味で、『近代』を脱して**　人が人の対応をしているという観点からすればポストモダンと呼ばれる現代もまだ近代のフレームの内側にあり、コンピューターを用いた産業・最適化・考え方のアップデート・人間の再定義などを行わない限り近代は続いているのではないか

という考え方によってこういう表現になっています。

＊35 **人間の想像の限界を超えてしまった制御しづらい**　人間がイメージできる次元数には限界があり、また検索能力や具体的なメモリーにも限界があるので、それを超えるコンピューターを使ってコミュニケーションをとる場合、我々の今のコミュニケーションとは異なる状態になるのではないかという考え方です。

＊36 **人間の再定義**　人間と社会・国民と国民国家・生物的人間などの定義のみならず、機械やコンピューターとの機能的な対比関係によっても人の存在や人の特徴は定義しうるのではないかという考えに基づいて表現された言葉であり、近代の終焉のために必要だと考えています。

＊37 **コンピューテーショナル**　「計算機的手法論による」という意味で用いています。コンピューターの得意そうなことをコンピューター流のやり方でやるという大きいくくりの定義で用いています。人工知能・最適化・ＣＧなど。

＊38 **スコラ哲学**　西ヨーロッパ中世の聖堂や修道院の付属学院scholaで研究され教えられた哲学、神学。大学が成立すると、神学部、人文学部の教科となりました。

＊39 **マルクス**　１８１８～１８８３。ドイツの思想家、経済学者。科学的社会主義者で共産主義の祖とされています。格差社会と独占を生むという点から資本主義経済を批判しました。主著に『資本論』。

＊40 **映像の世紀の大衆**　僕は『魔法の世紀』にて20世紀は映像の世紀と定義しましたが、マスメディアとマスメディアから強い影響を受ける人々の強い結びつきを指してこの言葉を本書では使っています。

＊41 **魔法の世紀**　映像の世紀に対して魔法の世紀という言葉を使っています。２次元的に表現されてきた映像やマスメディアの世界に対して、高度に発達したコンピューターがこの世界をオーバーラップしたインターネット世界では、あらゆるコンテンツは空間化して３次元化して物質化するのではないかということを「魔法」という言葉で定義しています。

＊42 **劇場型の教育**　先生が喋り、学生が並んでその発言を聞くタイプの授業や講演、一方向的で劇場のような教育スタイルをこのように表現しています。

＊43 **解像度**　ディスプレイ、プリンター、スキャナーなどで扱うデータの精細さを表す尺度のこと。

時間方向と空間方向などデータの細かさや滑らかさの意味で本書では扱っています。

＊44 **会話のプロトコル**　相互に定められたプロトコルがないと、前提となる情報交換が行いにくいので、英語と日本語といったように会話することはできません。

＊45 **行動のプロトコル**　行動について対象者の様々な行動を指します。行動に対する決まった対象者のさまざまな行動のこと。

＊46 **人権**　社会に属することで分配される人間ゆえに享有する権利。社会と制度によって規定されたものであることについて意識的にするために扱っています。

＊47 **人格**　カント以後のドイツ哲学思想の影響のもとに、理性的存在者として自律的に行為する主体。理性的・自律的という言葉の定義は計算機時代には更新されうるため、ここで扱っています。

＊48 **個人**　国家や社会、また、ある集団に対して、それを構成する個々の人。プロトコルに含まれる最小単位を明らかにするために個人という文脈を使っています。

＊49 **人間**　生物学的な人間と機能的な人間・認知的計算機としての人間と社会的な人間を合わせた言葉として使っています。

＊50 **マイノリティ**　社会の権力関係において、その属性が少数派に位置する者の立場やその集団を指します。

＊51 **画一的定義**　一様に統一された物事の定義。

＊52 **二項対立**　2つの概念が存在しており、それらが互いに矛盾や対立をしているような様のこと。グラデーション的に物事を見ずに0か1かで判断すること。

＊53 **ダイバーシティ問題**　性別・国籍・年齢・学歴や職歴といった一人ひとりが持つさまざまな違いをお互いに認め合って、共生できる社会を作ろうとする中で出てくる問題。古くから男女差別、障碍者差別、人種差別などが存在し、未だに根深い問題です。

＊54 **LGBT**　性的少数者を限定的に指す言葉。レズビアン（女性同性愛者）、ゲイ（男性同性愛者）、バイセクシュアル（両性愛者）、トランスジェンダー（出生時に診断された性と、自認する性の不一致）の頭文字をとった総称。

＊55 **肌の色の差別**　白色人種、黄色人種、黒色人種であることにたいしていじめや嫌がらせなどの差別をすること。

＊56 **オープンソース化**　ソースコードのライセンスについて自由な改変を認めたり、権利の継承を定めたりすることによって広く一般に公開し、誰でも自由に扱ってよく、コミュニティによってメンテナンスや運営をしていくような方法論を中心とした考え方により、今あるソフトウェアシステムやハードを一般公開していくこと。

＊57 **パーソナライズしていくこと**　最適化技術によって個人個人に合わせて提供すること。

＊58 **ベーシックテクノロジー**　基礎やインフラになりうるような技術のこと。

＊59 **機械学習用のデータセット**　機械に学習させるために必要な大量の既知データであるトレーニングセットのこと。

＊60 **アルゴリズム**　コンピューターにおいて何か物事を行う際のやり方や方法論となるもの。

＊61 **ハードウェアの盛り上がり**　中国工場や韓国工場での集中生産が加速することで、その地域でのハードウェア生産コストの低下から、ハードウェアでものを作っていくタイプのベンチャーなどのエコシステムが生まれました。

＊62 **自動翻訳**　ある自然言語を別の自然言語に翻訳する変換を、コンピューターを利用して可能な限り全て自動的に行おうとするような分野。

＊63 **攻殻機動隊**　士郎正宗による漫画作品。ジャンルとしてはＳＦに属する。時は21世紀、第３次核大戦とアジアが勝利した第４次非核大戦を経て、世界は「地球統一ブロック」となり、科学技術が飛躍的に高度化した日本が舞台の作品です。

＊64 **マイクロソフトの自動翻訳**　Microsoft Translator の新たな進化は、昨年に行われたディープニューラルネットワークベースの機械翻訳への切り替えに基づくものとなりました。これにより、過去の統計的機械翻訳と比較して、より流暢で人間的な翻訳が実現されました。

＊65 **路線価**　不特定多数が通行する道路に面する宅地1平方メートル当たりの土地評価額のこと。車に乗っている時間が好きなことをできる時間になると、この概念はほぼ必要なくなります。

＊66 **御殿場プレミアム・アウトレット**　東名高速道路御殿場インターチェンジからすぐのところにあるアウトレット。ここでは、自動運転により運転をする必要がなくなり、乗車時間も好きなことができるようになると、「行く」ことに対する障壁がほとんどなくなる場所の例として挙げています。

＊67 **Transportation as Nature**　直訳すると、自然としての移動。自動運転によって移動をするという認識が変化します。運転をする必要もなくなるので、移動自体が重力に引かれて落ちる物質のように、川の流れのように、ただ座っているだけでシステムに組み込まれたように動くことになるのです。

＊68 **End to End Transportation**　End to End AIを意識したフレーズ。始点と目的地のみを与えることによって移動を成立させるという考え方。

＊69 **セルを2つ埋めるような世界観になっていきます。それを人間は自然に**　End to Endの接続は川の流れのように物理法則をコードで定めるように自然になっていくということの例示。

＊70 **ＬＶＭＨ**　エルヴェエムアッシュ　モエ・ヘネシー・ルイ・ヴィトン。フランス・パリを本拠地とするコングロマリット。多くのブランドを傘下に持ちます。

＊71 **５Ｇ**　第5世代移動通信システム。５Ｇの最大の利点は低レイテンシ、つまり端末がネットワークにpingを送信してから応答を得るまでの遅延時間が短いという点です。リアルタイムで触覚フィードバックも送れるようになります。

＊72 **現在の４Ｇ**　通信速度は75Mbps～100Mbps。モバイル端末のマルチメディア化が進む現在、高速な「４Ｇ」（ＬＴＥ）はモバイル通信の必須となっています。

＊73 **３Ｇ**　通信速度は数Mbps～14Mbps程度。

＊74 **テレビ**　ここでは、年齢や地域に関係なくほぼ全ての家庭に一台はあるマス（大量生産・大量コミュニケーションのための）のメディアという意味。

＊75 **1ミリ秒の遅れ**　１０００分の1秒の遅延。ほとんど遅延がない、ということを示しています。

＊76 **コミュニケーション、テレプレゼンス**　人と人が会話するような使われ方や、遠くに存在を伝送することによって遠隔作業するような使われ方のこと。

＊77 **空間伝送**　伝送とは形を変えて一カ所から別の場所に移動することを表す言葉ですが、ここでは遅延がないため空間ごと切り取るようなイメージで他人と3次元空間の共有が可能になるということを示しています。

＊78 **オフライン**　コンピューターや通信機器がネットワークに接続していない状態。ここでは、自動運転の仕組みが車一台で完結してしまっている、というもったいない状況。

*79 **車間コミュニケーション**　車に乗っているときに譲ってくれた車の運転手に対して、ハザードランプを数回点滅させることで感謝の意を伝えるというようなコミュニケーションのこと。ここでは、5Gにより伝達可能な情報量が増えることになったので、先述したようなアナログな従来式のコミュニケーションではなく、より多くのデータを伝達できるようになることを示しています。

*80 **センサー**　ここでは、Wifiなどを利用した車間のローカル通信のことを指しています。

*81 **ハードウェアそのものをハックするほうが、通信そのものをハックするよりも容易**　通信は高度に暗号化されていますが、ハードウェアに入ってくる入力などを騙すことのほうがやりやすいということを指しています。ハードウェアハックによる乗っ取りなどは、近頃いくつかのデモンストレーションがIT企業によって新製品発表とともに行われることが増えてきました。

*82 **ホロレンズ**　マイクロソフトから発売されたMR製品。ゴーグルを通じて見る空間にCGを置くことができます。

*83 **タブレット**　メソポタミアやエジプトなどで発見されている、記録メディアとしての粘土板や石板のこと。iPadなどのタブレットはここから来ています。

*84 **遠隔手術**　現在だと「ダヴィンチ」が有名。内視鏡カメラとアームを挿入し、術者が3Dモニターを見ながら遠隔操作で装置を動かすと、その手の動きがコンピューターを通してロボットに忠実に伝わり、手術器具が連動して手術を行います。5Gが導入されると、力の入れ具合などもわかるようになり、この分野も今まで以上に進んでいくことでしょう。

*85 **遠隔介護**　遠隔地の見守りや介護のために使うような技術のこと。たとえば僕の研究室では車いすの自動化の研究をしています。

*86 **物質と実質**　物質で表現される解像度が稠密な表現とデジタルで表現される「人間の感覚器官や知能にとって」解像度が十分である実質的な表現との間について指摘する言葉。映像と物質という表現のときは、より時間方向の解像度についても表現が含まれます。

*87 **計算機自然**　デジタルネイチャー。人と機械、物質と実質の間に多様な選択肢を示し、コードによるガバナンスが行われる。デジタルの存在自体が人間にとっては自然に近くなりうるという僕が提唱している考え方です。解像度的に区別がつかず、物理法則のようにコードを定める

と、あとは人智の外側で処理が進んでいくような「あらたな自然」。

＊88 **表現系** どういう解像度で、どういう感覚や物理量を使って、どういう次元のデータで、何を表現するのか、ということを表現系という言葉で表現しています。

＊89 **人間の知性** ここでは、デジタルとアナログの空間をごちゃ混ぜにすることで生まれる超自然によって超克しなくてはならない二項対立で分けたがるような近代的な人間性のことを示しています。

＊90 **リアル／バーチャル** 近代的人間性の象徴である二分法によって分けられた現実と仮想という言葉。これを二分することにほとんど意味がないのではないかという価値観に基づいてこの言葉を使っています。

＊91 **触り心地のある素材感** 触覚テクスチャに纏わる研究のこと。

＊92 **リアル** ここでは、ＣＧの対比。つまり計算機だけでなく、物質的にも実在しているもの。

＊93 **体のダイバーシティが高い人** 高齢化によって我々の社会は身体の多様性の高さが際立つようになります。それは移動の困難性だったり視力や聴力の低下だったりするその観点で、障害という言葉ではなくここではダイバーシティが高いという表現で表現しています。

＊94 **プライベートという概念** 私的という概念はＳＮＳの発達や環境監視カメラの発展により、限りなく小さくなっていく。そういった社会に生きる上でのプライベートという概念は若干卑猥です。

＊95 **Airbnb** 宿泊施設・民宿を貸し出す人向けのウェブサービスです。世界191カ国の6万5000の都市で80万以上の宿を提供しています。2008年8月に設立された、サンフランシスコに本社を置く、非公開会社 Airbnb, Inc. により所有、運営されています。

＊96 **テクノフォビア** 科学技術の発展に関して恐怖を覚えるような症候群もしくはそういうような人々、本来の意味だけでなくテクノロジー嫌いという軽い意味でも本書では用いています。

＊97 **ディストピア** ユートピア（理想郷）の正反対の社会。一般的には、ＳＦなどで空想的な未来として描かれる、管理社会で、否定的、さらに反ユートピアの要素を持つ社会という着想で、その内容は政治的・社会的な様々な課題を背景としている場合が多いです。

＊98 **プロトピア** ＷＩＲＥＤ創刊編集長のケビン・ケリーが著書の中で紹介した概念。ほんのわず

かであっても、昨日よりも今日よりもよい状態を目指すようなテクノロジー社会を指す文脈で表現しています。

＊99 **幼稚園にAmazon Echo** Amazon.comが開発したスマートスピーカー・EchoはＡＩアシスタントのAlexa（アレクサ）を搭載しており、音声コミュニケーションによってＧＵＩを用いることなく情報アクセスが可能、という意味で用いています。

第4章

日本再興のグランドデザイン

人口減少・高齢化がチャンスである3つの理由

人口減少と少子高齢化。日本ではこの2つの言葉が、ネガティブなトーンで語られます。このまま日本は人口が減り続けて、経済も縮小し続けて、暗い未来が待っているのではないかと――。

僕からすると、この認識自体が間違いです。人口減少と少子高齢化はこれからの日本にとって大チャンスなのです。その理由は3つあります。

ひとつ目は自由化、省人化に対する「打ち壊し運動」[*1]が起きないことです。人が減って、かつ、高齢化で働ける人が減るので、仕事を機械化してもネガティブな圧力がかかりにくい。産業革命のときに労働者が機械を破壊したようなラッダイト運動[*2]が起こらないのです。

今後の日本にとって、機械化はむしろ社会正義です。機械化に取り組んでいる人をおとしめようとしている人間がいたら、その人こそ労働力不足社会における正義に反しています。

2つ目は、「輸出戦略」です。

日本は、人口減少・高齢化が早く進む分、高齢化社会に向けた新しい実験をやりやすい立場にあります。これから中国を筆頭に世界中が高齢化します。もし日本が、人口減少と少子高齢化へのソリューションを生み出すことができれば、それは〝最強の輸出戦略〟になるのです。

ロボット技術が典型ですが、日本の少子高齢化対策技術は、アジア諸国に輸出することができます。以前の日本は、欧州や米国などで生まれたビジネスを時間差で日本に輸入する「タイムマシンビジネス」が主流でしたが、今後は日本で生まれたビジネスを海外に輸出する「逆タイムマシンビジネス」が可能になるのです。

少子高齢化対策技術は、輸出の切り札になるだけでなく、インバウンドの人材誘致戦略[*3]としても力を発揮するでしょう。たとえば、軽井沢をさらに少子高齢化時代に向けてバージョンアップすれば、「軽井沢に住みたい」という中国のお金持ちが続々と出てくるはずです。

3つ目は、「教育投資」です。

これからの日本は、人材の教育コストを多くかけることができる国になります。日本は人口が減少しているので、相対的に大人の数が多くなり、子どもの数が少なくなります。すると、「子どもは少なくて貴重なのだから大切にしよう」ということになります。社会全体として、子どもに投資しても、不平が出にくくなります。子どもに対して教育コストをかけることが、社会正義であり社会善になるのです。この条件を生かさない手はありません。

2017年の衆議院選挙で安倍政権が幼児教育の無償化を打ち出しましたが、その戦略は評価すべきでしょう。細かい戦術面での課題はありますが、基本的に生涯教育を重点化していくべきです。

この3つの視点を持てば、人口減少と少子高齢化は明らかにチャンスになります。社会システムの中で、少子高齢化と人口減少についてはテクノロジーで対処していくことができるので、何の問題もありません。むしろ、人口増加のほうが大変です。人が増えている状況で機械化を進めていったら「打ち壊し運動」が始まります。我々は人口減少を嘆くどころか、「運よく減少してくれてありがとう」と感謝すべきなのです。

今後、具体的に何が起きるかというと、第一に、今、我々がホワイトカラーとしてやっている窓口業務などの仕事はほとんど機械化できます。さらに自動運転やロボットの技術を使えば、あらゆる運搬業務も機械化できます。そうすると、人間の時間は余るようになります。そうすれば郊外の家に住んで、家族や地域活動や趣味や、はたまた、スマホ上での仕事のマッチングなど副業を含めた多彩な働き方に、今よりも多くの時間を使うことができるようになります。

明確なビジョンが先にあり、そこにテクノロジーを生かせるのであれば、海外投資家から見ても投資対象になりうるので、投資資金も集めやすくなるでしょう。今後は、10年スパンの戦略を考え抜くフェーズに入っていくと思います。我々は革命といった急激な変化は苦手ですが、改革や革新は得意です。日本をアップデートしていくという発想を持てばいいのです。

ゲートのない世界へ

テクノロジーによって、我々の生活も変わります。

たとえば、駅にある改札や、オフィスのゲートといったものがすべてなくなっていきます。最新の iPhone X では顔認証が導入されましたが、そういった画像ベースの技術がゲートに導入されるでしょう。そのうち、山手線の改札も顔認証で通れるようになるのではないでしょうか。今は改札にＳｕｉｃａをかざしていますが、今後はウェブのカメラが顔を自動認証してくれるので、本当なら、ゲートはいらなくなるのです。

もちろんプライバシーの問題があるので、改札がなくなるかどうかはわかりませんが、随分、生活は快適になります。今でも、欧州のトラムの駅には改札がほとんどありません。お金を払っていないことが後でばれると多額の罰金が科されるので、みんな改札がなくても一応お金を払っているのです。このやり方であれば、改札を置くのに比べて、コストを安く抑えられます。それと同じことが、顔認証を導入すれば、ウェブカメラひとつでできるようになります。もちろん通信を暗号化するなどのインフラコストは無視できませんが、やるべきです。

顔認証による改札やゲートの置き換えは、やろうと思えば技術的には比較的簡単にできます。改札のところに、たとえばiPhone Xで顔登録する場所を設ければいいだけです。僕だったら、東京駅と渋谷駅の1ゲートはすぐに顔認証にしたいです。空港のゲートにもすぐに入れたほうがいい。実際、海外も日本も自動化ゲートが増えています。改札やゲートがなくなって損をするのは、ハードをつくってきた会社だけです。顔認証はコストが安いので、JRも空港も得ですし、何よりも社会全体の利便性が大きく向上します。おそらく、やらない理由はないでしょう。

コンビニでもレジが少なくなるはずです。アマゾンのAmazon Goのような無人コンビニが広がって、人がいなくても買い物ができるようになることでしょう。堀江貴文さんが「今から、Amazon Goのシステムを使った自動コンビニのチェーンを日本で展開したらセブンイレブンに勝てるのではないか」と言っていましたが、そのとおりだと思います。

もしくは、自動化はセブンイレブンにとってもメリットが大きいので、セブン自身が率先して自動化を進めるかもしれません。先ほど述べたように、日本では今、機械化が正義ですので、大企業も機械化の方向に舵(かじ)を切れます。イノベーションを担当する部門が、機械化を推進できるのです。かつての日本では人が増え、さらに余っていたので、従業員を減らして機械化に踏み切るのは難しかったのですが、人口減少時代には、機械化をしてもハレーションが起きにくいのです。

おそらくほかの国であれば、機械化にあたって、大企業とベンチャーの対立が起きると思いますし、その構図でしかものを見られないでしょう。しかし、日本は、大企業が業態変換しても誰も文句を言わないでしょうし、大企業とベンチャーがうまくコラボレーションすることもできるはずです。日本の大企業は体力がありますので、大きく投資できます。しかも、機械化により利益率が上がるのが見えているので、投資としてもリターンが高い。きっと多くのサービスは実験店舗をつくるはずです。1、2店舗でうまくいったら、全国に広げるでしょうし、他社も真似し始めて、全国のコンビニや、そのサービスがどんどん無人化していくはずです。

アジアにロボットを売りたい放題

とにかく、今後の日本では機械化と省人化が肝なのです。機械化のメリットは、制御や最適化ができることです。

移民を推奨する人もいますが、やはり政治的・警備的コストが大きすぎます。日本人という既得権者にとってなかなか受け入れるのが難しいでしょう。それに比べて、機械は生まれたときから何をするか決められているので、日本人にとって非常にリーズナブルな選択になるのです。

僕の意見としては、移民を入れてまで日本の人口を保つ必要はないと考えます。今は、2060年ぐらいに日本の人口は8000万人ぐらいまで減ると予測されていますが、6000万人ぐらいまで減ってもいいと思います。それでも、機械化によって一人当たりの生産を増やしていけば、労働力と購買力が減少してもGDPを成長させることは可能です。

機械がどんどん仕事をしてくれると、一人当たりの年収が大きく上がります。そして、人が減ることで需要が下がる分は輸出で補うことができます。今後、日本に続いて、アジア諸国はほぼすべてが高齢化していきますから、日本の人口が減っても、海外にお客さんがたくさんいるわけです。とくに、2060年になったら、中国は日本並みに高齢化しています。そのときには、中国にロボットを含めたサービスが売りたい放題になっているはずです。

もちろん、中国も日本のロボット技術を真似しようとするでしょうが、そう簡単には真似できません。細かい部品ベースで考えると日本のつくるロボットの品質は長年の積み重ねの結果としてすごく高い。日本製より質の低い模造品は中国でも出回るでしょうが、安全面を考慮するような用途になると日本製のロボットを欲しがるはずです。

ほかに、日本のサービス付き高齢者住宅も仕組みとして輸出できると思います。また、お金持ちほど日本に住みたがって、お金持ちの不動産投資や移民需要も増えるはずです。つまり、日本は世界の高齢者にとっての楽園になるかもしれません。

機械と人間の融合が進む

機械化という点では、人間は個人としても機械化されますし、集団としても機械化されていきます。第3章でも記しましたが、人と機械の親和性があらゆるレベルで上がっていくのです。老人になって体が動かなくなったら、体に車輪をつければいいですし、言葉がしゃべれなくなったら、ウエアラブルの解決策をとったり、何らかの機能をファブリケーションしたりすればいい。腕が動かなくなったら、外骨格でロボットアームをつければいい。そういったパーソナリゼーションが当たり前の発想になります。

一番初めに変化が起きるのは、グラスウエアでしょう。僕のラボで研究している最中ですが、網膜投影のメガネができると目で見るのが楽になります。今のメガネは目の前にレンズを置く形ですが、電子プロジェクターで網膜に投影できるようになると、レンズ自体がいらなくなります。もうラボでも試作品がありますので、近い将来に製品化できるはずです。

人間にとって、モノが見えなくなるのはとても辛いことですが、今後は老眼がテクノロジーで対処できるものになります。視力を多くの人が保つことができるのです。目の他に、耳の問題も出力装置と学習で対処できますし、自動運転やロボットによって移動の問題も解決できます。

全身がうまく動かせない老人がいたとしても、パワードスーツを使えば自由に動き回れるようになるかもしれません。たとえば、パワードスーツを製造するサイバーダインの「HAL」はそういうものです。

同様の理屈で、認知症によって1日分しか記憶がもたない老人がいたとしても、それをヘッドマウントディスプレイ（HMD）が補完することで、ダイバーシティ的には問題のない社会がつくれるはずです。いうならば、たとえ身寄りがない高齢者でも、ロボットの孫と一緒に暮らしているから安心ということになるのです。

そうして、サポートテクノロジー[*5]やプリンティングテクノロジー[*6]によって人々の体が多様化すれば、価値観も多様化することでしょう。「何が標準だ」「何が正解だ」と考えることがナンセンスになるはずです。その結果、第2章で警鐘を鳴らした「拝金主義」や「個人主義」も少しずつ抜けていくと思うのです。人は多様でよいのですから。

僕たちが今やるべきことは「身体ダイバーシティをどうやってロボットで解決し、身体および社会の問題を自動化する機械に置き換えていくか」ということです。現代のオリンピックなどもそうやって再解釈しないとマッチョイズムの上に成り立つダサいものになりかねません。ひとつの価値観から、多様でニッチな自然へ移行すべきなのです。

マッチョな1等賞を決める世界はダイバーシティが低く、近代的で、あまりに前世紀的です。映像のオリンピックはロンドンで終わりました。我々は課題先進国から解決先進国を目指さねばなりません。「言うのは簡単。やるのは難しい」という言葉がありますが、今はやりながら言う世界です。波を待つのではなく、波を起こすサーファーでなくてはなりません。未来に向かって歩き出すことがもっとも大切なのです。

日本は機械親和性が高い

今後、日本が機械化を進めていく上で有利なのは、日本人がテクノロジーを好きであるということです。マスメディアの発信によってロボットやテクノロジーについての認知が広がった日本人にとって、テクノロジーというのはカラクリのようなものです。それは人の技能の最大到達点であって、それをすごく崇(あが)めたいという思いがあります。だからこそ、日本はテクノロジーベースの社会、ロボットフレンドリーな社会に変えやすいのです。

一方、僕の印象として、西洋人は人型ロボットに限らず、ロボットがあまり好きではありません。西洋人にとって労働は神聖なものなので、それをロボットに任せることに抵抗があるのです。ＡＩについても似たことがいえます。西洋の一神教支配の国にとっては、ＡＩは人類の根幹、彼らの精神支柱に関わるようなものになります。西欧の国は統治者に人格性を強く求めるので、ＡＩに対する反発は強いでしょう。

それに対して、日本人は意思決定の上流がＡＩになっても、違和感もなく受け入れるはずです。第2章で述べたように、大化の改新以来、日本はトップが天皇で、天皇の横に執行者がいるという政治スタイルです。中臣鎌足のポジションが機械化されたＡＩでも、象徴が人間であれば、我々は別に違和感を覚えないと思います。

もちろん、日本でもこうしたテクノロジーによる変化を受け入れない層は一定数いると思いますが、例示と対話によって説得できるのではないかと思っています。

たとえば、介護ロボットの導入を促すときは、こんな例を出せばいい。ウォシュレットに自分のお尻を洗ってもらうのと人間に洗ってもらうのとどっちが好きですかと聞くと、普通、大半の人はウォシュレットと答えるはずです。それと同じように、ロボットアームに自分のおむつを替えてもらうのと人間に替えてもらうのとどちらがいいですかと尋ねたら、それはロボットアームとなるはずです。「ああ、ウォシュレットと同じことか」と納得してくれるはずです。わかりやすい例示を出すことで、新しいテクノロジーを受け入れやすくなります。対話にも力を入れるべきです。そのテクノロジーによってみなさんの生活にどんな影響があるか、みなさんのためにどう役立つかを明確に説明する必要があります。

実際、自動運転を怖がる人もいますが、その恩恵は計り知れません。日本はまだ自動運転が進んでいるとはいえませんが、本当は相性がいいのです。もし自動運転を過疎の地方でうまく活用することができれば、人間の運搬と輸送の問題を解決して、地方は生き返ります。動けなくなった高齢者が動くことができるようになるだけで、高齢化社会における問題の半分は片付きます。

もうひとつ自動運転にしないといけないのは、車いすです。これも自動運転化できれば、ほぼすべての高齢者の移動の問題がかなり片付きます。今、大体、車いすの課題は、階段を上れないことと、飛行機に乗れないことです。そうした場所にすべてスロープをつけて、バリアフリーにできれば、移動がとても楽になるはずです。

こうしてテクノロジーを有効に活用することにより、明るい未来が到来することを、わかりやすく、粘り強く説明していくことが大事なのです。

ブロックチェーンと日本再興

ここまでは日本再興の切り札として、ロボットや自動運転を中心に語ってきましたが、もうひとつ、日本再興のカギを握るテクノロジーがあります。それはブロックチェーン[*7]です。これからの日本はすべてをブロックチェーンにして、あらゆるものはトークンエコノミー[*8]であるという考え方にしていかないといけません。

ブロックチェーンとは、分散型の台帳[*9]技術と言われますが、あらゆるデータの移動歴を、信頼性のある形で保存し続けるためのテクノロジーです。しかも、誰かが一元的に管理するのではなく、全員のデータに全員の信頼をつけて保っていくことができます。非中央集権的なテクノロジーなのです。

その典型がビットコインに代表される仮想[*10]通貨にかかわる技術です。

これまでの通貨は、中央銀行が中心となった中央集権的な通貨システムでした。基本的に、通貨を発行できるのは、中央銀行のみでした。それに対して、仮想通貨は中央銀行を介さずに通貨を発行できます。管理をする中心機関がなくても、非中央集権的に仕組みがまわっていきます。それを可能にしているのが、ブロックチェーンの技術であり、仮想通貨により生まれる経済圏がトークンエコノミーです。トークンとは、仮想通貨とほぼ同義と考えてもらって構いません。

これからの世界を考えるときに、すべてのものにトークンで価値づけを行って、その価値を信用する人だけで成立するトークンエコノミーが存在することこそが、通貨制度になると思います。

今までは、中央銀行が発行した通貨を中心とする、中央集権的な経済圏しかありませんでした。それに対して、トークンエコノミーが普及すれば、非中央集権的にさまざまな経済圏をつくることができるようになります。株式市場では、株式公開することをＩＰＯ（新規株式上場）と言いますが、仮想通貨の分野では、ＩＣＯ（イニシャル・コイン・オファリング）という上場の方法があります。この手法を使えば、証券会社の介在がなくとも、「ホワイトペーパー（資金調達の目的やプロジェクトの計画を記したもの。新規株式公開時の目論見書に当たる）」を出せば、ある程度自由に上場することができます。

上場できるのは、会社だけではありません。個人が上場してもいいですし、プロジェクトが上場してもいい。市や県、国だって上場していい。実際に、欧州のエストニアは国自体をＩＣＯして話題になりました。

日本はトークンエコノミー先進国

日本でも今、VALUやタイムバンクといったサービスが人気を博しています。僕は双方ともに登録していますが、VALUは落合陽一という個人に値段がついて、タイムバンクは、落合陽一の時間に値段がつきます。ともに落合陽一という個人の価値に関するトークンを、あたかも株式市場のように取引し、クラウドファンディングのように応援できる仕組みなのです。

ほかに僕が今進めようとしているのは、研究者のトークンエコノミー化です。今は研究者への研究費の配分は、文科省などが中央集権的に決めています。これをある程度トークンエコノミー化すればいいのです。各研究者や研究室がトークンを発行して、それを売り買いする仕組みができるとよい。たとえばその前段階としてクラウドファンディングによる研究助成に僕は力を入れています。これから伸びる研究者にはお金が集まりますし、逆に伸び切った人にはお金が集まらなくなります。健全なマーケットメカニズム[*11]が働くのです。

このようにトークンエコノミーが広がると、あらゆる人や物が信用創造[*12]することができるようになります。これまでの世界では、信用創造を担う中心は銀行でした。銀行が預金を集め、そのお金を企業や個人に貸し出していくことで、経済がまわっていました。しかしこれからの世界では、銀行に頼らなくても、我々は高速に信用創造をすることができます。価値があると認められたものは、空間と時間の処理能力ととらえて価値がつくのです。

僕がブロックチェーンやトークンエコノミーを強く推すのは、この技術が日本ととても相性がいいと思っているからです。

そもそも、日本では、仮想通貨[13]という言葉が広がっていますが、もともとの英語は「クリプトカレンシー」です。本当は暗号通貨[14]と訳すほうが正確かもしれません（ビットコインのハッシュはそもそも暗号ではないのです）。

しかし、仮想通貨と訳したのは結果的にはよかったのでしょう。もし暗号通貨という名前にしていたら、日本への浸透が遅れたでしょう。仮想通貨はつまりバーチャルカレンシーということですので、これは日本人になじみがあります。PASMOも仮想通貨のひとつです。我々は、仮想通貨と訳すことで、日本人がブロックチェーンを受け入れやすい土壌をつくれたのです。

そして、トークンエコノミーというと難しく聞こえるかもしれませんが、すでに日本にはトークンがたくさんあります。TSUTAYAのTポイントカードもANAのマイレージも立派なトークンです。日本人ほどポイントカードがたくさん財布に入っている国民は見たことがありません。日本はすでにトークンエコノミー先進国なのです。

トークンエコノミーとは、このポイントカード経済圏がさらに広がって、企業だけでなく個人もポイント発行できるようになるイメージです。

地方自治体によるICOの可能性

このブロックチェーンやトークンエコノミーをうまく生かすことで、日本は国の形、社会の形、仕事の形、個人の形を世界に先んじてアップデートすることができます。思い切って舵を切れば、他国の20年先を行くことも可能です。

トークンエコノミーは中央集権から脱する切り札になります。第1章でも触れたように、日本は古来より、中央集権だったことはほとんどありません。地方自治こそが日本の国に合っています。

今、日本に必要なのは、民主主義を地方自治重視にアップデートする、あらゆる地域の主体の参加意識をもう一度地方に戻すことです。投票のルールも政治のやり方も、全国一律ではなく、各地で決めていけばいいのです。

地方自治を推進するときに、必ず問題になるのが財源です。今の日本は、中央政府が税金を集めて、地方に地方交付税交付金としてまく形です。地方の主な税収は住民税と固定資産税ぐらいしかなく、財政的な自由度が高くありません。

そこで新たな収入を生むカギになるのが、トークンエコノミーです。地方自治体そのものをトークン化して、ＩＣＯすればいいのです。わかりやすい例でいうと、沖縄県が沖縄トークンを発行すればいいのです。今、独立問題が起きているスペインのカタルーニャ州でも、ＩＣＯするという話が出ています。

ＩＣＯすることで、地方自治体はお金を集めて、攻めの投資を行うことができるようになります。今の財政の仕組みは、産業を誘致したり、育成したりして、それがうまくいったら、税収が増えるという順序です。後手でしか動けないモデルです。このやり方は、国が成長しているときはよかったのですが、今のような人口減少経済になると、財政を絞るばかりで攻めの一手を打つことができません。この流れを逆流させるためにも、先行投資型にモデルを変えないといけないのですが、その切り札となるのが、トークンエコノミーなのです。

トークンエコノミーとは、いわば、将来価値を現在価値に転換する仕組みです。沖縄トークンを例にすれば、「みなさんのお金を使って、沖縄をこんなふうにつくり変えて、こんなふうに経済を成長させます」という説得力のあるビジョンを描ければ、その期待に対してお金を集めることができるようになります。

沖縄がＩＣＯすることになれば、観光の楽しみも増えて、ぜひお金を出したいと思う人は日本中にいるはずです。僕なら絶対に投資します。日本人全員の可処分所得、さらには世界の人々のお金が財源になるのです。トークンに投資した人は、それを長期保有してもいいですし、値段が上がったところで、転売することもできます。この投機性は、価格決定や流動性に力を貸すでしょう。これは今の時代の「マイホームローン」に近くなることでしょう。

つまり、トークンエコノミーが広がると、これから面白い開発が行われる自治体ほど、いいビジョンがある自治体ほど、お金が集まるのです。会社の株価と同じように、独自性のある、優れたビジョンと戦略と実行力がある自治体ほど株価が上がるのです。

今のふるさと納税のアップデート版と言ってもいいかもしれません。これがうまくいけば、地方自治体が財源的に中央から自立しやすくなるはずです。

ＩＣＯは新しい「国の形」をつくる戦略

きっと僕の意見に対しては、「魅力のある自治体はＩＣＯできるけれども、そうでない自治体は価値が高まらないので、自治体間に差が生まれるのではないか」という反発が出てくると思います。

それに対する答えとしては、「魅力を出すしかない」。甲子園のように、全国で競争すればいいのです。ここでポイントになるのは、各地域別の色を出しやすくなるということです。魅力を出す方法は、地域によって千差万別です。画一的な売り出し方をする必要はまったくありません。

たとえば、普通にＩＣＯをすると、茨城県のトークンは安くなるでしょう。ただし、茨城県は、東京に近いのに地価が安くてすごく住みやすいという強みがあります。そうした魅力を生かして開発プランを描けば、「茨城のトークンは今は安いけれども、ポテンシャルが大きいので投資しておこう」と思う人が必ず出てくるはずです。今度、茨城県の知事に元マイクロソフトの大井川和彦さんが就任しましたが、全国に先駆けて、自動運転を取り入れた都市づくりをするとか、ロボット介護を導入するといった手を打てば、面白いと思います。

ほかにも、つくば市のＩＣＯや福岡市のＩＣＯもいいと思います。福岡市の高島宗一郎市長は、ベンチャーの育成に熱心で福岡から次々とベンチャーが生まれてきていますので、投資はかなり集まるのではないでしょうか。

こうした自治体が増えてくると、事実上、財源的に中央政府から自立することができます。しかも、十分に投資家を引き付けられれば、10年、20年という長期計画のための投資資金を集めることができます。こうした非中央集権的な世界観をつくるためにも、トークンエコノミーをフル活用しないといけないのです。

若い市長や知事が出てきて、多くの自治体がＩＣＯをしていけば、トークンエコノミーは一気に盛り上がるはずです。しかも、自治体同士でそれぞれのトークンを買い合えば信用創造ができますので、新たなお金が出てきます。不動産の証券化（ＲＥＩＴ）によって、新たなお金が生まれてくるのと似た構造です。今は世界に投機マネーが余っていますから、そのお金を引き付けて、ロボット、自動運転、５Ｇなどの機械化に使えば、日本全体がアップデートされていきます。

こうした動きに霞が関が抵抗するかといえば、そうはならないと思います。霞が関としても、財政が逼迫（ひっぱく）する中、地方に交付金を払い続けるのは難しいので、願ったりかなったりではないでしょうか。むしろ、今の依存構造を変えたくないのは、地方自治体のほうでしょう。今のシステムは、黙っていても、税金が入ってくる仕組みになっているからです。

要は、中央政府は、Ｆ・ラサーンの言う夜警国家になればいいのです。日本全体の道路整備や国防に予算を集中すればいい。ほかの仕事は地方に任せたほうが、日本全体にとって効率的です。これらの新しい「国の形」をつくる戦略は決して夢物語ではありません。その気になれば、10年以内に実現できるかもしれません。

もちろん、ビットコインのマイニングのエネルギー問題や仮想通貨が本当に流通するのかなど、多くの疑問もあります。しかし、それは数年から十数年の時間によってはっきりしていくことでしょう。

シリコンバレーによる搾取の終わり

トークンエコノミーは「国の形」を変えるだけではありません。「経済の形」「産業の形」を大きく変えるポテンシャルもあります。

トークンエコノミーの受益者負担、自給自足という考え方に僕は強く賛同しています。なぜなら、それがあれば、グローバルなプラットフォームによる搾取を防げるからです。言い換えると、シリコンバレーと戦う最高の戦略になるからです。

我々がデジタル化社会で苦しんでいる最大の理由は、ソフトウェアのプラットフォームを取れなかったことです。今の我々の生活はシリコンバレー発のプラットフォームに支配されています。iPhoneを使ってアップルストアで買い物をしたり、グーグルマップで地図を検索したり、アマゾンのサイトで買い物をしたり、フェイスブックでメッセージを送り合ったりしていますが、その結果、多くの情報やお金がシリコンバレーに吸い取られているのです。

日本は「景気がよくなったのになかなか賃金が上がらない」と騒いでいますが、その根本的な理由は、デジタル商品のほとんどがシリコンバレーのプラットフォーム経由で扱われているからです。

たとえば、僕が、iPhoneやアンドロイドのスマートフォン経由でNewsPicksのアプリに月額1500円支払っても、その3割は自動的にアップルやグーグルに抜かれます。これは冷静に考えればすごい話です。植民地みたいなものです。もし僕たちが、自給自足的な仕組みをつくっていれば日本に残ったはずの3割の金額が、無意味にシリコンバレーに吸い取られているのです。

こうした状況に終止符を打ち、ローカルな経済圏をつくるための武器となるのが、ブロックチェーン化であり、トークンエコノミー化です。

繰り返しですが、ブロックチェーンの本質は、非中央集権化であり、コードによるガバナンスであり、受益者負担です。元締めとなるプラットフォームがなくても、ユーザー同士で情報を管理したり、取引ができたりする仕組みです。これは日本の伝統的な価値観にも合っています。

もし我々が、受益者負担のオープンなブロックチェーンベースのサービスを提供できれば、アップルやグーグルやアマゾンにお金を抜かれなくても済みます。AirbnbやUberといったグローバルなシェアリングサービスも必要なくなります。ビットコインが中央銀行という仲介者を不要にしたように、シリコンバレーのプラットフォームを不要にするのです。日本発の日本で自己完結するプラットフォームをつくれるようになるのです。

さらに、日本国内でも各ローカルの事情に合ったプラットフォームをつくりやすくなります。沖縄トークンのようなローカルごとの仮想通貨が生まれたり、沖縄トークンを使って起業する沖縄のすごい起業家が生まれてきたりすれば、シリコンバレーのプラットフォームにもドルにも円にも依存しない、新たなローカル経済圏を生むことができます。こうしてシリコンバレー発プラットフォーム社会を超えていかない限り、我々は、永遠に裕福になれません。だからこそ、日本はトークンエコノミー化を今すぐに進めていくべきなのです。

世界VSカリフォルニア帝国

僕は、「ブロックチェーン・オブ・エブリシング（BoE）」と呼んでいますが、今後、あらゆる領域にブロックチェーンを広げていくことが日本再興のために重要です。それによって必然的に起きるのが、世界とカリフォルニア帝国の戦いです。

要は、全世界でサービスを無料にして薄く配るという考え方によって巨万の富を得ているグーグルやアップルというカリフォルニア帝国の主に対して、「それは非合理的ではないのか」「我々はめちゃくちゃ搾取されているのではないのか」と気づいたローカルが、ブロックチェーンやビットコインや非法定通貨のエコシステムを使って、新しいデジタル世界を構築していこうとする戦いです。

すでにカリフォルニア州は、GDPでいうと世界6位の規模にあります。イタリア経済より大きいのです。今後、そのカリフォルニア帝国と世界の戦いがより過熱していくはずです。欧州はそれにもう気づいているからこそ、エストニアのように国レベルでICOをする国が出てきているのでしょう。

こうした、カリフォルニア帝国に対抗するトークンエコノミーの基盤のひとつになるのが、仮想通貨です。仮想通貨が取引に使えるものとして定着すれば、トークンエコノミーは一気に飛躍しやすくなります。

しかしながら、今、ビットコインの基盤が揺れています。ビットコインの本質は、通貨として取引で使われることにあるのに、その本質から離れて、単なる投機の道具として使われてしまっているのです。

ビットコインは、国に関係なく世界中で取引ができるという点で、ドルに代わる基軸通貨になる可能性があります。にもかかわらず、投機マネーの流入によって、不安定になっています。これは、デジタルエコシステムを支える人たちにとって、望ましくありません。

日本人は今、ビットコインを世界でもっとも多く持っている国民です。だからこそ、我々は、日本にとって重要なビットコインをしっかり守っていかないといけないのです。

ビットコインの未来を占う「3つの問い」

では、我々がビットコインを守るために何が大事なのでしょうか。ビットコインの未来を占う重要な問いが3つあります。

ひとつ目は、「実世界で本当に使うのか」ということです。

当たり前ですが、通貨というのは、実際の取引に使われないと意味がありません。ただの投機の対象になると、かつてのチューリップバブルのようになってしまいます。それではカジノと同じです。大事なことは、モノを買うのでも、アプリのサービスを買うのでもいいので、ビットコインで実際の支払いを行えるようにすることです。今でも、ビックカメラなど店舗で支払いはできるようになっていますが、まだ十分に使われていません。ビットコインを使用できる店が少なく、送金も時間がかかって不便です。また、プルーフ・オブ・ワークの仕組みにはエネルギー的なムダが多すぎます。

日本では2018年からMUFGコイン、2020年までにJコイン（仮称：みずほフィナンシャルグループなどのメガバンクや地銀が共同発行）が発行される予定です。しかし、これらのコインもただ発行されるだけでは、ポイントカードと変わりません。ほかのコインやポイントカードと交換可能になって、実際のモノの購入に使用可能になることが決定的に重要です。

2つ目の問いは「本当の非中央集権とは何か」ということです。非中央集権とは、個々のプレーヤーが好き放題やるということではありません。巨大なプラットフォーマーが利益を独占する世界でもありません。そこに参加している人たち全員がちゃんと利益を享受できるような世界です。トークンエコノミーをきちんとフェアに機能させるということが重要なのです。

そこで追求すべき指標は、個々のプレーヤーの時価総額ではなく、市場全体の規模です。1社の時価総額を上げて、そこで株式を売り払ってお金持ちが生まれるというゲームではなく、どうやって人類全体のためになるゲームをつくれるかということです。

それはインターネットをみなでどう育てるかという問いと似ています。もしインターネットがひとつの会社が運営しているサービスであり、その会社がインターネットを好き放題に使ったとすると、インターネットは死んでしまいます。それと同じように、トークンエコノミーを機能させるために、全体の利益、公共の利益をみなが意識すべきなのです。

今のように、毎日、ビットコインの価格が乱高下して、自分の儲けばかりを考えているプレーヤーが跋扈（ばっこ）している状況は、ビットコインのあるべき姿とは程遠い。せっかくいい感じでビットコインは育ってきたのに、このままでは新しいエコシステムを築くチャンスをみすみす失ってしまいます。

3つ目の問いは、「オールドエコノミーとの戦いに勝てるか」です。オールドエコノミーとは一言で言うと、ウォール街の投資銀行です。彼らは今までの法定通貨の世界を守るために、仮想通貨の世界を潰そうとしています。今、オールドエコノミーのエスタブリッシュメントたちと、新しい通貨を担う人たちの戦いが勃発しているのです。

これまで投資銀行は、一般市民が入ってこられないような複雑な市場をつくって、富を独占してきました。リーマンショックの引き金となったサブプライムローンが典型ですが、わざわざ簡単なものを難しくして、大きな利益を上げてきたのです。

今、オールドエコノミー勢の攻めに、新しい勢力は押され気味です。仮想通貨の世界に、仮想通貨法という面倒くさい規制が導入されましたし、投資銀行はビットコインの市場に投機マネーを流入させて、相場を混乱させています。こうした揺さぶりに、新勢力は負けてはいけないのです。そして、新勢力側が勝利するためにも、ビットコインを世界でもっとも多く保有する日本人が、率先してビットコインを守らないといけないのです。

人類史上稀有なチャンス

ここまで述べてきたように、人口減少は日本にとって大きなチャンスです。ロボット、自動運転、自動翻訳、ブロックチェーン、トークンエコノミーといった新しいテクノロジーも日本の強力な武器になります。

今のうちから、人口減少・高齢化社会に対応した社会に移行できれば、日本は世界より20年先に行けます。そして、その仕組みを世界中に輸出することができます。つまり、日本はほかの国より、20年助走が早くなるということなのです。

世界全体を見渡しても、今後もカリフォルニア帝国の天下が続くとは限りません。明らかに、経済の中心も文化の中心もアジアになっていく可能性が高いです。

２０２４年ぐらいには中国のＧＤＰがアメリカのＧＤＰを超えると予測されています。また、インドも急速な勢いで成長します。２０２２年には、インドの人口が中国の人口を超えて、２０３５年にはＧＤＰもインドがトップになると言われています。

アジアへのパワーシフトは日本にとって好材料です。アジアに中心が移ったときに、東京はパリのように文化的な注目を集め、ニューヨークのように金融中心でないといけません。

デジタルネイチャーの世界では、あらゆるものがパーソナライズされます。2次元が3次元化されたり、運転が自動化されたり、必要な部品のほとんどがハードウェア側ではなくソフトウェア側に寄っていきます。日本はソフトウェアが全然得意ではないので、そこはあまり勝てないと思います。我々にとっての勝負どころは、各ローカルの問題を解決するような若いベンチャー企業を日本中にばらまけるかどうかです。

機械と相性のいい日本は、あらゆる国のモデルケースとして、あらゆるものを自動化した国になれる可能性が十分にあります。そして、自動化を進めると同時に、日本は文化的に優れた国にもなれます。だから、日本は、「どうすれば東京が東洋のパリになれるか」を必死に頑張ったほうがいいのです。それが実現すれば、一人当たりのGDPも上がるはずです。

繰り返しですが、日本の人口減少も自動化を進める上でプラスに働きます。人口増加社会において仕事を減らそうとすると、口減らしをしないとたぶん無理ですが、それは人道的にとてもよくないことです。しかし、日本のように人口が減少する社会であれば、ロボットで自動化を進めるといった新しい仕組みを取り入れやすくなるはずです。

だから、人口減少は人類史上稀有なチャンスなのです。「人口減少=ネガティブ」といった刷り込まれた知識を更新して、みなで行動していけば、きっと日本の未来は明るくなるはずです。

＊1　**打ち壊し運動**　江戸時代の民衆運動の形態のうち、価格の吊り上げなどに対し、当該機関人物に関して不正を働いたとみなされた者の家屋などを破壊する行為。ここではラッダイト運動に対する人間対人間の例として挙げています。

＊2　**ラッダイト運動**　1811年から1817年頃、イギリス中・北部の織物工業地帯に起こった機械破壊運動。これは機械と人間、とりわけ技術失業と社会の関係性を述べています。

＊3　**インバウンド**　訪日する客という意味だけではなく、それに纏わる政策論争も含めてこの単語を使っています。

＊4　**ヘッドマウントディスプレイ（HMD）**　表示装置（ディスプレイ）の一種で、両眼に多いかぶせるように装着して大画面や立体画像などを演出するディスプレイの総称。

＊5　**サポートテクノロジー**　身体能力や認知能力など人間の能力格差に対してカメラ技術やロボット技術印刷技術機械学習や人工知能技術を含めて総合的に発達しうるテクノロジーのこと。

＊6　**プリンティングテクノロジー**　コンピュータグラフィックスによる最適化計算と3次元印刷技術や回路印刷技術などの総称。多様性に適応できる多種多様な仕上がりを持つことができます。

＊7　**ブロックチェーン**　BoE＝Blockchain of Everything。前進的なテクノロジーを主軸にしないプラットフォーム企業は、ローカルの類似サービスに関する技術開発によって代替されうるし、それはトークンエコノミーで代替可能かもしれないという文脈。

＊8　**トークンエコノミー**　ここでは貨幣経済に対して、法定通貨のみならず価値交換に用いることのできるトークンの発行に依拠した経済の意味で用いています。

＊9　**台帳技術**　ビットコインの中核技術を原型とする連結データベースのこと。ブロックと呼ばれる順序付けられたレコードの連続的に増加するリストを持っています。それがネットワーク上に共有されるため理論上、一度記録すると、ブロック内のデータを遡及的に変更することはできません。これは通貨以外にもデータ管理やサービス管理などの基本の考え方として用いることができます。

＊10　**仮想通貨**　ここではビットコインなどの暗号通貨のみならず広い意味でデジタル化された通貨価値という意味で用いています。

＊11　**マーケットメカニズム**　ここでは需要と供給の働きによって全ての財やサービスの価格体系が

決められ、その価格体系に応じて経済社会全体の生産、消費、分配が調整されるメカニズムの意味で用いています。

＊12 **信用創造** 銀行が初めに受け入れた預金（本源的預金）の貸し付けによってマネーサプライ（通貨供給量）を創造できる仕組みを信用創造といいますが、ＩＣＯなどの仮想通貨でのマネーサプライ創造は法定通貨よりも高速かつ低コストに行うことができるという意味で用いています。

＊13 **仮想通貨という言葉** Cryptocurrency ∪ Vitrual Currency です。ここでは広義の概念として仮想通貨を指し示すことで、この仮想という単語で需要された状態を好意的にとらえています。

＊14 **暗号通貨** マイニングのためにSHA-256を用いてビットコインはハッシュ化されますが、ハッシュ計算は必ずしも暗号化ではありません。逆にCryptographic Hash Functionのように、暗号化関数として用いることのできるものもあり、SHA-256のRotate演算はエニグマのようで原義のCryptoに見られるような暗号感があり、原義のものを埋めて隠すという考え方とMiningという言葉の親和性を踏まえてここでは使っています。

第5章

政治（国防・外交・民主主義・リーダー）

日本だからこそ持てる機械化自衛軍

これからの日本の国政を考える上で、重要性が高いのは国防です。なぜなら、地方分権が進み日本が多様化していくと、中央政府の求心力が弱くなって、国防が弱くなりかねないからです。

これから日本では、明治維新の前の日本のように、国家よりも地方への帰属感が増し、国という意識が薄れていきます。その上、日本は新しいテクノロジーを世界に先駆けて取り入れることで、人口減少・高齢化時代の理想的な国にどんどん近づいていきます。すると、隣の国は日本が羨ましくなり、日本を占領したいと思いかねません。だから、日本を守るためにも、我々は強力な自衛軍をつくるべきなのです。戦争はもちろんよくないですが自衛軍は必要です。

自衛軍強化の柱になるのは、自動化です。自動化すれば、日本は強い自衛軍をつくれます。自動化してミサイルを打ち落としたり、ロボットに自衛してもらえばいいのです。コンピューテーショナルな技術を使えば、それは十分に実現できます。

ロボットに戦わせるのは人道的ではないと言われるかもしれませんが、自衛のためであれば、倫理的にも許容されると僕は思っています。なぜなら、相手が攻めてきているのに、人間が戦う理由はないからです。侵略を目論むような、非人道的な戦略にも人道的対応を行う必要があるのかという問題です。

戦争とは外交のひとつの手段ですので、お互いに宣戦布告して戦うのであれば、人間と人間で戦うのがフェアです。しかし、相手が侵略してきた場合には、その攻撃に対してロボットで反撃してもアンフェアではないと思うのです。侵略を企てるほうが悪いのですから。日本は平和国家として、侵略してくる相手に対してはロボットで反撃すると宣言すればいいのです。鉄腕アトムが日本を守ってくれるイメージです。

そのロボットを使って暴走する独裁者が出るのではないかという反論もあるかもしれませんが、そこは明確に憲法で縛ればいい。自衛以外にはロボット自衛軍を使えないという決まりにすればいいのです。

よく自衛軍をつくることに対しては、「僕は戦争に行きたくない」「私の子どもを戦争に行かせたくない」という実は的外れの批判があるのですが、ロボットが戦うのであれば、そうした批判もなくなるでしょう。職業軍人の役割は、ロボットの自衛軍を管理することだけにすればいいのです。

ほかの国では、ロボットの軍隊を持つことは人道的に認められるかどうかわかりませんが、日本のように自衛しかしないと憲法で決めれば、「機械化自衛軍」を持つことは道義上も正当化できるはずです。またすでに多くのドローンが戦地を飛んでいます。

２０１７年の６月に、ソフトバンクが米国で最強のロボット会社と言われるボストン・ダイナミクスを買収しましたが、これは正解です。ソフトバンクが、ボストン・ダイナミクスで自衛ロボット兵器をつくり、それを日本政府に売ればいいのです。人を殺すための機械をつくっているのではなく、人を守るための機械をつくっているのですから。

インド・中国・北朝鮮

国防の最重要テーマが「機械化自衛軍」だとすれば、外交の最重要テーマはインドです。外交でもっとも重要なのは、どこの国と仲良くするかですが、日本が最も仲良くすべきなのは、インドです。インドと手を組めれば中国を挟み込めるので、地理的に日本は有利になります。インドとともに、今まで通りアメリカとも戦略を共有していたら、日本の外交は安泰だと思います。

今でも、日本とインドの関係は非常に良いですし、信頼関係はとても高いと思います。そもそも、日本人は全員、ヒンズー教の一派みたいなもので宗教的には一緒ですし、第２章で述べたように、カーストも日本と相性がいい。

　文化的にもインドと日本は深い関係があります。サンスクリット語を母国語の３割ぐらい使っているのは、日本人ぐらいです。日本人の身近な言葉は、ほとんどがサンスクリット語です。たとえば、世界という単語の「世」という言葉は、１世、２世、３世の世であって、サンスクリット語では現在、過去、未来の世という意味です。「界」は上下左右、東西南北という意味です。つまり、世界とは、時間と空間という意味での世界なのです。いわゆる、グローバルという意味とはまったく関係がありません。

　本当は相性がいいのに、日本企業が西洋のロジックに染まりすぎているので、コミュニケーションが円滑に進まないこともあるでしょう。そうした文化の違いが、時間感覚や労働感覚や食べ物や言葉にあらわれています。インドは今も４００ぐらいの語族があるので、英語だけではコミュニケーションが取れません。自動翻訳が普及しない限り、インド人とは会話できないのです。

　インドと仲良くするためにも、日本人とインド人はもっと互いのことを知るべきです。日本人であれば、『西遊記』で天竺（てんじく）から三蔵法師（さんぞうほうし）が来るのは知っていると思いますが、天竺とはカルカッタのことです。インドは日本人にとって決してゆかりのない場所ではないのです。

　外交面では、中国と対立しないのが重要なことなのですが、15年ぐらいの時間軸で見ると、中国はさまざまな面で大変なことになるだろうとは思います。

最大のリスクファクターはやはり人口です。一人っ子政策でのつけで急速な少子高齢化が進みます。人口バランスが一気に崩れるのです。習近平政権の時代はまだ安定しているかもしれませんが、習近平以後は、本当に何が起きるのかわかりません。

僕が危惧するのは、「天安門事件3」のような出来事です。1989年の天安門事件は衝撃でしたが、あれと同じようなことが起こりえます。もし天安門事件3が起きたら、紅いシリコンバレーとして栄えている深圳や香港といった地域は緊張が起こるのではないでしょうか。その意味でも中国は本当にヤバいです。

そして、先に危機が起こりうるのは、北朝鮮です。トランプ率いるアメリカによる武力行使の可能性もささやかれていますが、数年以内に、何らかの形で武力衝突が起きるおそれがあります。一般的に、自分が命を狙われていると思った独裁者がする行動は、保身以外はありません。そんな何をするかわからない独裁者を、アメリカは放っておかないでしょう。独裁者の厄介なところは、無条件降伏をしてくれないことです。歴史を見ると、最後に死ぬまで戦い抜く例のほうが多いのです。

こうした喫緊のリスクがあるからこそ、早く機械化自衛軍を整える必要があるのです。

揺らぐ民主主義

これからの日本の繁栄を確固たるものにするために、何よりも重要なのは国防です。そこを盤石とした上で、内政として取り組むべきは、民主主義のアップデートです。

そもそも、日本に限らず、今の民主主義はスケールが大きすぎます。民主主義とは、最大公約数的な決定装置ですので、人口が増えすぎて、多様な利害や意見を持つ人が増えてくると、成立しなくなってきます。すなわち、標準から外れたダイバーシティの高い人には、民主主義が適用されないのです。

だからこそ、今のマスが大きすぎるので、より小さく区切っていかないといけません。そのためにも、地方自治になっていくのは必然です。

今の中央政府が決める政策は、あくまで日本全体の最大公約数的なものになりがちです。東京にとっては正しくても、大阪や四国にとっては正しくないということが起こってしまいます。地方が地方のことを決定できれば、大阪や四国がそれぞれ最適な選択肢を選べるのに、それができないシステムになっているのです。

この状況を根本的に変えるためには、民主主義自体をアップデートしなければなりません。

民主主義という概念は古代ギリシャの時代から存在するものですが、それが具体的な制度になったのは、１７００年代の後半です。フランス革命によって、「人間は本質的に平等で、自由であり、友愛を基にものを考える。特別な人はいないのだから、全員が同じように権利を与えられるべきだ」というような考え方が出てきました。

さらに、南北戦争の最中の１８６３年には、リンカーンが「人民の人民による人民のための政治」と演説しました。もちろん、いい言葉だとは思いますが、基本的には人気取りのためのものでしょう。これは究極のポピュリズムだと思います。

そして日本でも１８６０年代から１８８０年代にかけて、西洋の人権、自由、平等という概念が導入されました。１８８９年に公布された大日本帝国憲法もとても西洋風の憲法でした。ただ日本は、民主主義を自ら勝ち取ったわけではないので、いまだに民主主義が根付いていません。

日本では、「民主主義＝多数決」と思っている人も多いですが、民主主義とは、民主主義（制度）と民主主義（理念）の2つに分かれています。民主主義（制度）のほうは多数決ではなくて、民主主義（理念）に基づいた政治形式という意味です。

民主主義の制度は多様です。多数決でもいいですし、全員一致で何か物事を決めるのもいい。多数決なら90％の人が賛成すればＯＫですが、10％の人が反対だったらＯＫを出さないという民主主義もありえます。人間が平等であるという民主主義の思想と、それを具体的にどう実現するかという民主主義の制度は別の話なのです。

そして、民主主義は別にすばらしいシステムではありません。チャーチルが言うように、もっともマシではあるのかもしれませんが、かなり揺らいでいます。世界中でポピュリズムという言葉がよく出てくるようになっているのが、その証左です。

民主主義をアップデート

今の民主主義が抱える問題を解決するには、第４章でも提案したように、地方自治を一気に推し進めるしかありません。

日本の中でも、東京の常識は名古屋の常識ではないですし、新潟の常識ではありません。茨城の人は茨城でしか暮らさないし、東京に出ようとは必ずしも思っていません。お互い違ってよくて、お互いを批判する必要はないのです。地方にはそれぞれの幸福の形があるのです。それなのに、東京からマスメディアが発信する価値観を無理やり根付かせようとするから、よくないのです。そのように、地方自治を許容すれば、日本の未来は明るくなります。

これからも東京はアイディアの中心地ではあり続けると思います。ただ、実行はあくまで地方です。士農工商で言う「士」が東京に集まりすぎているので、これからみんな地方に散らばっていきます。そもそも日本は自律分散型なのです。

日本には、八百万の神がいて、一つひとつのことを個別に解決していくというのが、東洋的な考え方です。それなのに、一神教的な、一極支配の中央集権型で考えるから、おかしくなるのです。明治時代に、国土を発展させるために、一度は西洋型の統治スタイルにしたわけですが、もう一度、以前の自律分散型に戻るべきときなのです。

それに加えて、「平等」という西洋的な概念から脱して、もっと日本的な自然な形、フラットな形へとシフトしていったほうがいい。

平等とフラットは意味が違います。平等というのは権利を誰かに移譲した後、再分配されるときの考え方です。つまり一神教の考え方にすごく近い。もしくは統治者がいる国の考え方に近い。北欧などが典型です。

一方、日本の特色として、権利を与えてくれる誰かがいたことがほとんどありません。平等が与えられるという感覚がなじまない。日本人はもっとフラットで自然状態に近いというか、波がザブーンと来るように動いています。ですから、意思決定にＡＩなどのテクノロジーが入ることにも違和感がありません。中心のないビットコインはまさに日本人の感覚に合うのです。

実際に、これから日本がフラットな地方自治へと回帰していくには、地方の首長が一番強い権力を持っている状態に持っていかないといけません。そのためには、地域政党を率いる人が、内閣総理大臣よりも偉く見えるようになってもよいかもしれません。

２０１７年の総選挙では、都民ファーストの会の党首である小池百合子さんが、希望の党の代表になったことを批判されましたが、あの動きは決して間違っていなかったと思います。東京都知事が総理大臣と同様の力を持つ、というふうに見せるには、小池さんが希望の党の代表だけれども、総理大臣にはつかないという選択肢はありでした。東京都の都知事でありながら、中央政府の権力も握れれば、国の規制もフレキシブルに変えられるので、かなりダイナミックに政策を変えられる可能性がありました。地方を中心にすえて、国を運営するというプロセスに移行するチャンスだったのです。東京が国の上に立つような形もありだったと思うのです。

リーダー2・0とは何か

これから日本全体が非中央集権化していきますが、リーダーのあり方にも同じような変化が起きます。これまでのリーダーの理想像は、一人で何でもできて、マッチョで、強い人でした。中央集権的なリーダーです。これをリーダー1・0と名付けましょう。

しかし、これからのリーダーは、一個の独立した完璧な個人である必要はありません。そもそも独立した個人という考え方自体が、近代が生んだ幻想です。それ自体が古くさい。日本には合わない考え方です。

リーダー2・0時代のリーダーは、すべて自分でできなくてもまったく構いません。何かひとつ、ものすごくとがっている能力があればよくて、足りない能力は参謀などほかの人に補ってもらえばいいのです。リーダー2・0時代のリーダーのひとつ目の条件は「弱さ」です。共感性の高さが求められるのです。

2つ目の条件は、「意思決定の象徴と実務権限の象徴は別でいい」ということです。言い換えると、個々人は自分の得意分野に特化すればよくて、すべての実務権限を統括している人がいないということです。象徴としての天皇と、執行者としての中臣鎌足に権限が分かれているのに似ています。たとえば、スティーブ・ジョブズのように「俺がかっこいい製品をつくるから、意思決定も全部やらせろ」という独裁的なスタイルは、リーダー2・0的ではないのです。

3つ目の条件は、「後継者ではなく後発を育てる」ということです。自分の後を継ぐ人ではなく、新しいジャンルや会社を新しくつくっていくような人材を育てられる人です。たとえば、米国のペイパルという会社からは、ペイパルマフィアと呼ばれるくらい、多くの有名起業家たちが生まれました。

こうしたリーダー2・0の逆が、まさにリーダー1・0のリーダーです。マッチョで強く、意思決定と実務決定をすべて握り、後発ではなく後継者を育てるリーダーです。

いうなれば、リーダー1・0の時代は、歌謡曲のボーカルの時代でした。エルビス・プレスリーのようなカリスマ的なボーカルが活躍する時代です。政治家でいうと、トランプも完全にリーダー1・0タイプでしょう。田中角栄もリーダー1・0です。

それに対して、リーダー2・0はバンドです。とがった個人が集まって音楽を奏でるビートルズのような形です。リーダー2・0に大切なのは愛されることです。カリスマというと、憧れみたいな感じなので近寄りがたい。愛されるのはもっと貴重で、「この人が地球上からいなくなってしまったら、寂しい」という感情です。

愛されるためには、「自分は何でもできる」と言ってはいけません。つまり、偏りのある人、ある分野にとても才能があるけれども、全然だめなところもあるような人のほうが、周囲が手を差し伸べやすいですし、バンドとしてうまくいきやすい。

たとえば、チームラボの猪子寿之さんは、典型的なリーダー2・0です。猪子さんは、すごく高度なものに対して、ハイレベルなアドバイスやメタな議論ができる人ですが、それ以外のことは何もできません。明らかに弱いので、周りが助けようとする。優秀な人が育っていますし、独立して新しい会社をつくる人も出てきています。

日本の社会は、基本的にリーダー２・０のほうが向いています。強いリーダーを育てるのには向いていません。一神教の世界ではないだけに、西洋とは世界観がまったく違います。自らの弱さによって、いろんな人をボトムアップでまとめ上げていくほうが日本に合っている気がします。

ただし、日本の問題点は、とがった才能のあるリーダー２・０的な人がリーダーになろうとすると、排除しようとしてしまう傾向があることです。それでも、過去の失敗に向き合って、そうした風潮も弱まってきてもいます。リーダー２・０を受け入れる土壌が育ってきているのは、すごくいいことです。

次の10年に向けて

現代の日本の政治家を分析していくと、安倍首相には、リーダー２・０的なところがあります。意思決定と実務の権限を分けて、優秀な人を周りに置いてチームをつくるのがとてもうまい。全部自分でやろうとしないところがバランスがいい。ただ、弱さという点と、後発を育てるというところでは2・0的であるが、判断できないところもあります。

小池さんにもリーダー2・0のようなところがあります。まず小池さんは弱さを認識した上で動きます。そして演出やプロデューサーのところは自分でやっていますし、意思決定もしていますが、それ以外の実務のところはちゃんと分けてやっています。そして女性政治家のひとつのモデルとなることで、女性の新規参入を促しましたし、自らの塾を開くことで、政治の世界に新たな人材を巻き込みました。

小池さんに対し「実務能力が低いのではないか」と批判する人もいますが、それは的外れです。あたかもボーカルにドラムを演奏しろと言うようなものです。リーダー2・0は全部を自分でできる必要はありません。

小池さんに落ち度があったとすれば、任せることはできても、よいドラムの人を指名できなかったということです。その点では人に十分恵まれていませんでした。そして、排除という言葉をメディアが取り上げたことで、小池さんに共感しようと思っていた主婦層が共感不能になってしまいました。

小泉進次郎さんは、古き良きリーダー1・0です。意思決定もできるし、実務もできる。とても強い。そしてまだ若いから、後発を育てようというフェーズではない。明らかにリーダー1・0になるために生まれてきた人です。今後、リーダー2・0の人が失敗したときには、小泉さんが待望されて首相になるはずです。そしてその頃には２・０力をつけていくフェーズになるはずです。

今は時代がリーダー２・０のほうに向かっていますが、リーダー１・０が悪いわけではありません。リーダー２・０という新ジャンルができたことによって、リーダー論にも多様性が出てきたということです。揺り戻しでまた１・０の時代が来るかもしれません。小泉さんのような最強のリーダー１・０が２・０として振る舞うフェーズになったとき、共感性と求心性を伴う新たなリーダー論が生まれるかもしれません。

将来を見据えると、リーダー２・０の時代も終わり、さらにはリーダー３・０の時代も訪れるかもしれません。リーダー３・０時代にはＡＩか、それに類する機能かコードがリーダーをやっている可能性もあります。さながらビットコインのように、非中央集権的で、頭、ヘッドがない組織になるのです。リーダー２・０は象徴としてのリーダーがいるわけですが、リーダー３・０はリーダーすらいなくなるわけです。マイニングを行っているのは計算機であり、そのネットワーク上には人間はいないですが、コードをとりまくルールの中で今のところ機能はしていますし、もしかしたら法定通貨に勝つかもしれません。

日本のリーダーは、西洋的なリーダー１・０のモデルに縛られず、どうリーダー２・０やリーダー３・０に進化できるのか。そこが日本再興のカギを握るはずです。

第6章

教育

新しい日本で必要な2つの能力

これから日本をアップデートし、日本を再興するためには、まず意識を改革しなければなりません。これまでの常識を捨てて、新しい時代を生きるための能力を育む必要があります。では、新しい時代に磨くべき能力とは何でしょうか。

それは、ポートフォリオマネジメントと金融的投資能力です。

第2章で述べたように、これからほぼすべての日本人は百姓になります。百姓とは100の生業を持つ人という意味ですが、ひとつの職業訓練を受けて永遠にその職業についていれば大丈夫という考え方はなくなるということです。これからの時代は、あらゆる人が、職業のポートフォリオを組みながら、暮らしていくことになります。

僕の場合も、大学教員としての稼ぎだけでは研究に関わるお金を自分で払いながら暮らしていくのは不可能です。そもそも僕は、大学教員としての賃金を自分の会社から大学に入金しています。それよりも本を書いたり、講演をしたり、自分の会社を経営したりすることから多くの収入を得ています。それでも大学教員をやることは自分のミッションとして大事なのでやっているわけです。

つまり、これからの時代は、複数の職業を持った上で、どの職業をコストセンター（コストがかさむ部門）とするか、どの職業をプロフィットセンター（利益を多く生む部門）とするかをマネジメントしないといけません。

たとえば、区役所で働いている人が土木建設の会社で同時に働いてもいいわけです。もちろん、区役所に在籍していることを利用して、入札の際に土木建設会社に便宜をはかったりすると、それは収賄なのでだめです。利益相反は避けなければなりません。しかし、この人が、副業として、ある地域をどう開発するかについて地域振興のビジネスプランを考えたりするのは別にいいと思うのです。

今の教育スタイルは、ポートフォリオマネジメントの考え方がないので、どうしても専門家を育てようとしてしまいます。すると、コストセンターとプロフィットセンターを分けるような考え方が出てこないので、優秀な人はみんな医者か弁護士か金融屋になってしまうのです。

医者は重要な職業であり、価値を生みますが、優秀な人が医者にばかりなる必要はありません。弁護士は、社会制度を複雑にしたおかげで生き残った職業です。それは公認会計士や税理士も同じです。これらの仕事の給料は高いですが、社会に富も価値も生み出していません。制度を難しくこねくりまわしているだけなので、あまり意味がないのです。今後、ＡＩ

が進化していったら、弁護士や公認会計士は今後さらに不要となってくるでしょう。

これまでの価値観では、ひとつのことを専門家としてするほうがかっこよく見えていますが、今後は、いくつもの職業を掛け持ちすることが大切になってきます。

たとえばTシャツが1枚しか選べないとしたら、どんなに頑張っても個性的な格好にはなりません。アウターも選べるし、靴下も選べるし、靴も選べるからこそ、個性が獲得できるわけです。

僕が所属するコンピューターグラフィックスの業界であれば、専門家の人たちはみんな同じようなことを考えています。毎年違う問題に向き合っていますが、その問題というのはだいたいみんな同じです。そこで、問題に向き合いながら、面白い解決策を見つけられた人間がイノベーターだと言われます。

トップ研究者になるためには、時代感覚をつかむことが大事なのですが、日本人はこれがすごく苦手です。時代感覚をつかむ能力は、実は投資能力と近い。だからこそ、ポートフォリオマネジメントの能力に加えて、金融的投資能力が求められるのです。

金融的投資能力とは、「何に張るべきか」を予測する能力です。たとえば、うちのラボでも、つねにどのテーマに張るべきかを考え抜いた上で決めて、ライバルとの戦いを繰り返しています。このサイクルで戦い続けるには、時代性を理解しなければならないのです。

一般的に、日本人は時代を読むのが苦手ですが、それは専門性に分かれたからだと思います。ポートフォリオマネジメントをしたり、いろんなところに行ったりしていないので、タコつぼでしかものを見られないのです。

タコつぼにならないようにするためのコツは明確です。横に展開していけばいいのです。ひとつの専門性でトップレベルに上り詰めれば、他の分野のトップ人材にも会えるようになります。

ただし、むやみに横展開すればいいわけではありません。横との交流は、トップ・オブ・トップに会えるようにならないとあまり意味がないですから、まずは一個の専門性を掘り下げて名を上げたほうがいいのです。ニッチな分野でも構いませんので、とにかくまずは専門性を掘るべきです。せめてひとつは、トップ・オブ・トップの人と話すに足る何かを探さなくてはいけません。

トップ・オブ・トップの人たちに会うのは、とても刺激になります。たぶん、僕のトップ・オブ・トップの分野は研究やアートです。10代と20代は、コンピューターを土台にしながら、アートやリサーチにのめり込んできました。そこでの実績があるからこそ、いろんな分野のトップ・オブ・トップに会えるのです。

幼稚園には行かなくてもいい

ポートフォリオマネジメントと金融的投資能力——この2つの能力を磨くためにも、小さいころからの教育を変える必要があります。では具体的に、幼児期からどんなことを意識して教育を行うべきなのでしょうか。

最初に、小学校に入るまでの幼児期は、五感をフルに使ったほうがいいと思います。におい、味覚、音、目といった感覚や身体能力は、小学校に入るまでの間にほとんど決まってしまいます。とくに絶対音感が身に付くのは3歳ぐらいまでです。ですから、子どもがやりたがっていることは、何でもやらせてあげたほうがいいです。

そのためにも、幼稚園や保育園に行かせる必要は必ずしもありません。なぜなら、小学校までは五感を伸ばすことに力を入れるべきなのですが、幼稚園では、集団行動に特化して協調性を伸ばそうとするからです。それは僕は違うと思います。

それよりも、子どもが好きに自分の能力を伸ばせるように、子どもにカスタマイズした教育をしたほうがいい。実際、ギリシャ時代から、王様の子どもは家庭教師に育てられているのです。

僕も3歳から6歳までは、家庭教師に習っていました。月曜日はピアノの先生が来て、火曜日は東大の院生が来て算数を教えてくれて、水曜日は公文式を習って、木曜日は実験教室に行って、金曜日は隣に住んでいた画家さんと一緒に絵を描いて、土日はピアノの発表会に参加したりしていました。幼稚園にも一応行っていましたが、習い事のほうがメインでした。子どもを教育してくれる人がいれば、別に幼稚園に行かせる必要はありません。

現代でテクノロジーを使えば、同じことが安価にできるようになります。ベビーシッターのウーバー化と呼んでいるのですが、いろんな家庭教師を家庭に呼びやすくなっています。

先生一人で3人の子どもを教えられるとすると、いいコスト感になります。音大のピアノ専攻の学生が1日1万円で3人の子どもを見られたら、一人当たりのコストは3000円程度で済みます。これぐらいの料金であれば、喜んで払う家庭は多いはずです。1日3000円であれば、毎日払っても月額約9万円ですので、保育園に行かせるよりも実質的なコストは安くなります。しかも、保育園への送り迎えをしなくていいのです。

とにかく集団で教えるという概念ではなく、個別もしくは少人数で教えるという概念を大切にするべきなのです。

小学校でするべきこと

次に、小学校で大切なのは、好きなものや好きなアクティビティを見つけることです。

僕は、新しいことを考えたり、面倒くさいものを自動化したり、モノを分解したりするのが、小さいころからとても好きです。

この3つの好きを突き詰めるためのベースとなる数理的素養を小学校高学年から中学生にかけて身に付けました。こうした数理的素養を伸ばすのは、小学校低学年にはちょっと早すぎますし、中学校を終えるとなかなか伸びなくなってしまいます。だからこそ、この時期に九九を覚えたりすることは大切なのです。九九の意味をしっかり理解するのは、中学校の1年生くらいです。

僕は幸いなことに、小学校のときから、もうわけがわからない人間だったので、1年生ぐらいで先生が音を上げて自由になりました。

中学校と高校は本当に面白くなかったです。僕は、中学校には、授業中に漫画を読むために行っていました。それと、学校のベランダで植物を育てていました。誰かに言われて始めたのではなくて、面積が空いているので育て始めたのです。

日本で問題なのは高校です。義務教育の小中は案外よくできているのですが、高校がうまくできていません。今の高校は上級中学校みたいになっています。小学校と中学校は多くの面で違うのに、中学校と高校は次の受験に備えるだけで変わりません。これが大きな問題だと思っています。

今の高校は良くない状態です。僕は、デザイン選手権の高校部門で審査員をやっているのですが、空想的な企画ばかりが出てくるのです。問題提起がずれていることが多いのです。なぜそうなるかというと、経験がないことを想像しているだけで、リサーチ力が低いからです。社会の中の倫理観に縛られていて、現実を見ていないのです。

先ほど話したポートフォリオと投資能力を教えるのであれば、高校が一番です。中学ではまだイメージがつきにくいですが、高校なら適齢期です。今の高校生は投資能力が足りませんので、ＯＪＴによって少しでも社会のことを知ったほうがいいと思っています。

今のように社会のことを知らない状態で、大学受験を迎えて、専攻を選ぶというのはリスクが大きすぎると思います。もし医学部に入ったら40年間も医者をやる可能性があるのに、ただ偏差値が高くて、収入が多いために、考えなく医学部を選んでしまう人もいます。高校生で将来の進路を選ぶのは早すぎます。ポートフォリオ教育をして転職可能性を意識させるべきです。

センター試験をやめよ

結局、高校が上級中学校になってしまうのは、受験があるからです。要は、高校受験で入学してきて、大学受験まで3年しかないので、やれることが少ないのです。だから、もっと浪人を許容するといいと思います。僕も浪人しましたが、とてもいい経験になりました。

しかし、今は浪人が急激に減っています。その大きな理由は、若い人の人口が減って、大学に簡単に入れるようになったからです。さらに留年も減っています。今は「留年はよくない」というイメージが広がっていますが、留年は結構おすすめです。人が1年でやる卒業研究を2年かけてやれるのですから。

日本の高校を変えるには、大学が変わらないといけません。中でも、僕が一番やらないといけないと思っているのは、センター試験を破壊することです。

2020年にセンター試験が新しくなりますが、むしろ悪い影響のほうが大きいのではないかと危惧しています。むしろセンター試験は廃止してしまって、各々の大学の個別試験にしたほうがいいと思っています。ただ、足切りのテストがないと受験者数が多くなりすぎてしまうので、海外のMBA受験に必要なGMATのように、誰でも受けられるウェブテストを足切りとして導入したらいい。センター試験である必要はありません。

なぜセンター試験がよくないかというと、センター試験があることによって、高校の教育スタイルが規定されてしまうからです。センターがなくなれば、教科も国語、数学、英語、理科、社会でなくなって、自分の行きたい個別の大学の試験勉強をするようになるはずです。学生によって、勉強内容が変わっていくのです。教科がもっと自由になって、プログラミングなどもテストに入れられるようになります。多様性が出てくるのです。

今のようなセンター試験型の場合、東大に入るには大半の科目で高得点を取らないといけません。となると、バランス型の人が多くなってしまい、何かの分野で突出した人が受かりにくくなります。

センター試験で入ってくる人を一定割合に限定して、それ以外の枠を増やすという手もあります。たとえば、筑波大学には、ＡＣ（アドミッションセンター）入試という制度がありますが、この枠で入ってくる学生が一番優秀です。この入試では、論文を書いてもらったり、プログラミング能力の高さを見極めたりして、合格者を決めます。とがった能力がないと受からないのですが、すごく優秀な人ばかりです。僕のラボにいる生徒は、このＡＣ入試で受かった学生か、高専出身の学生ばかりです。

大学生には、研究をさせよ

大学に入った後に学生にやらせるのは、研究が一番です。なぜかというと、研究をすると、その人しか知らないことを知ることができるからです。これが重要なポイントなのですが、研究には必ず新規性が求められるので、誰かがすでにやったことは研究にはなりません。要は、研究することによって、その分野におけるトップ・オブ・トップになれるのです。研究は誰も知らないことを知らないと認められないので、未知のテーマに挑む習慣もつきます。

この能力は、社会人になってからも明らかに生きます。研究を通して、調査をしたり、手を動かして研究したり、誰かに頼みごとをしたりといったことを学びます。

研究とはお作法です。茶道や武道といった文化と同じです。指揮者が出てきて礼をしたり、キャンバスに油絵を描いたりするのと同じように、決まった作法があるのです。

研究においては、コンテクストを理解していくことが大切です。コンテクストとは何かというと、たとえばリサーチであれば、「Aさんはここまでやった。Bさんはここまでやった。ただ、2人のリサーチを並べてみると、ぽっこり穴が空いているところがあるので、ここの知識を埋めることができると価値がある」というスタンスを立てて、実験を繰り返して解明していくことです。こうした研究の構図を脳内につくるには、わりと若いうちでないと難しい。

日本でも、海外のデザインスクールのように、新しい知識やアイディアを生むための方法論みたいなものを、大学生にしっかり教えたほうがいいと思います。リサーチメソッドという授業は、アメリカの大学にはだいたいあるのですが、日本にはほとんどありません。これは、ヨーロッパ人がサイエンスをつくるときに獲得した作法です。

難しいのは文系です。日本の大学、とくに文系には、リサーチができる教員が限られています。理系には尊敬すべき先生が多くいるのですが、文系は数が限られます。文系が悪いと言いたいわけではなく、制度上、そういう人しか教員になれないようになっているのです。

MBAよりもアート

これからは社会人向けの教育も盛んになるでしょうが、そのときに大事なのは、拝金主義を捨てることです。プロフィットセンターを生み出すことが目標の人や、キャリアアップを果たしたい人はMBAを目指しがちですが、MBAはとくに社会に価値を生み出していません。

ＭＢＡのスキルはすでにある価値を増幅するエンハンサーにはなるのですが、本質的な価値を創る人になることは少ないです。つまり、専門性を持っている人がＭＢＡに行くのはいいですが、専門性がない状態で行っても、誰かと組まない限りエンハンスすることはできないのです。つまり、バイキルトしかかけられないドラクエみたいなものです。

とにかく、今の日本の産業界は、士農工商のうち商に重きが置かれすぎているように思います。ＭＢＡに行って生まれる経営者も基本は商です。そうした経営者はやりたいことがあるわけではなく、機能としての経営者として置かれているケースが多いので、金融屋と変わりありません。

ＭＢＡを学ぶぐらいであれば、リサーチメソッドやアートを学んだほうがいいでしょう。今の日本の教育を受けていると、どこにもアートに触れる機会がありません。日本人の一般的な拝金市場教育を受けて、拝金市場大学を経て、拝金市場サラリーマンを経た後、ＭＢＡに行っても、アートの素養を磨けないのです。

しかし、アートを学ばないと、ものの複雑性を理解できません。生涯教育というのであれば、アートも組み込んでいくべきでしょう。アートを学ぶといっても、美術館に行けという話ではなく、アートの基本作法を学ぶということです。どういうお作法でアートができているかとか、アートの価値はどこにあるかとか、そうしたことを学ぶということです。

今後は、大人が学ぶ場としては、サロンのようなものも増えていくでしょう。吉田松陰がつくった松下村塾もサロンですし、慶應義塾大学も福沢諭吉がつくったサロンです。

サロンは日本人に向いているのだと思います。

日本でサロン、私塾以外でいい学校は、東京帝国大学ぐらいしかありません。その東京帝国大学も各講座で分かれているので、いわばサロンみたいなものです。日本人には、誰か尊敬する人に師事するというスタイルが一番合うのだと思います。宮本武蔵や世阿弥の時代から、日本はずっとそうです。サロン型教育は、きっと生涯教育の中のひとつの重要なポジションを占めるはずです。

英語力よりも日本語力

教育分野では、年齢を問わず注目が高いものとして、英語教育があります。第3章で記したように、自動翻訳技術の進化によって、英語教育のあり方も大きく変わっていきます。

結論から言えば、語学はできたほうがいいに決まっています。とくに、英語のスピーチをするなら英語が流暢にできると有利です。英語の幼児教育も、やらないよりも、やったほうがいいでしょう。LとRの発音は絶対音感みたいなものですので、幼少期に身に付かなかったら、ずっと身に付きません。

しかし、今後は日常生活に関しては、自動翻訳技術が飛躍的に向上していますので、ロジカルに話せるだけで十分だと思います。今、語学がコンプレックスになっている人たちも劣等感を感じずにコミュニケーションが取れるようになります。

一方、英語が話せる「中身の薄い人」の化けの皮がはがれてしまうかもしれません。これまで以上に、中身が大事になってくるのです。

よく考えて、意味がわかる言葉でしゃべることは、英語を勉強することよりも重要になります。話し言葉にしろ、書き言葉にしろ、機械翻訳がちゃんとできるよう、伝わりやすい表現を心がける必要があります。

たとえば英語を書くときに学生に言っていることですが、僕が英語の専門ではないなりに気をつけているいくつかのポイントがあります。

第1のポイントは、ゲルマン動詞（let、make、get などの不規則動詞）は使わないことです。ラテン語動詞を積極的に用いること、意味の決められた3音節以上の動詞を知っていれば、代替の文は簡単に書けるはずです。

第2のポイントは、副詞をやたら並列させないで、正しい位置に入れるなど、係り受けがわかりにくい文章にはしないことです。なるべく短文で切ること、無意味な受動態や無意味な逆説接続、指示語の連続などをやめることです。

すなわち、語に特有の意味に従って、ロジカルな文にすればいいのです。文章の意味を考えながら書き、書いてからまた意味が合っているかどうかを確かめるといいでしょう。これは日本語でも同じことです。複数の意味に取れる単語はなるべく使わない、文章を長くしすぎないということです。

そのためにも、100字くらいの短文で、うまくまとめる訓練が必要です。ツイッターは140字以内で書かないといけませんので、いい訓練になると思います。

また、接続詞も大事です。日本人はhoweverやbutを使う頻度が高いですが、必要でないところにも使われていたりすることがありますから、これは気をつけたほうがいい。

僕は、「実質(virtual)」という言葉をよく使います。たとえば、ポケモンGOのモンスターは「物質」ではないけれど「実質」はあります。日本語は、このような漢字でも外来語に対応できる強烈な思考言語がいろいろあるところが便利です。

日本語にはよい動詞、よい表現がそろっています。ちゃんとした日本語で書ける人は、英語もちゃんと書けるものです。だから、英語を苦労して習得するよりも、ちゃんとした日本語の文を書けるようになったほうがいいでしょう。

第7章

会社・仕事・コミュニティ

「ワークアズライフ」の時代

これから訪れる脱近代の時代には、個人の働き方も大きく変わります。個人や人間という紋切り方の規定や、時間が人の労働単位という考え方が変わってくるからです。近代が「タイムマネジメント」の時代だったとしたら、現代は「ストレスマネジメント」の時代になるはずです。

タイムマネジメントの時代には、「ワークとライフ」を対比でとらえて、ワークの時間とライフの時間を区切っていました。今はやりの「ワークライフバランス」はこの近代的な考え方から生まれています。

しかし、これからは、ワークとライフが無差別となり、すべての時間がワークかつライフとなります。「ワークアズライフ」となるのです。生きていることによって、価値を稼ぎ、そして価値を高める時代になるのです。

そうした時代において一番重要なのは、「ストレスフルな仕事」と「ストレスフルではない仕事」をどうバランスするかです。要するに、1日中、仕事やアクティビティを重視していても、遊びの要素を取り入れて心身のストレスコントロールがちゃんとできていれば、それでもいいのです。

この考え方にのっとると、ストレスのかかる私生活（ライフ）をすることのほうが、会社でストレスレスの長時間の労働（ワーク）をするよりも問題になったりします。現代のストレス診断シートなどを見ても、ライフイベントのほうがワークイベントよりもストレスがかかることも多いかもしれません。

近年、うつ病の人などが増えているのは、ワークライフバランスが声高に叫ばれる中、いまだに社会がタイムマネジメントを中心にまわっていて、ストレスマネジメントが全然できていないからです。たとえば、残業を禁止して、形式上22時までに帰宅すればいいというのは明らかにおかしい。

時間で区切るからストレスマネジメントが機能していないのに、また時間で区切り直してどうするんだ、という話です。その中でストレスフルな仕事をしていたなら、それは時間が短くなってもあまり関係がないのです。本質は「残業禁止」ではありません。ストレスを感じていない人間は、無限に残業をしてもいいのです。

実際に僕は、土日もなく、3時間睡眠くらいで働き続けていますが、ストレスはほとんどありません。自分がストレスを感じる事務作業などは、ほかのメンバーに助けてもらうことで、ストレスのある仕事を避けているからです。

逆に、働くのが苦手な人は、17時に帰宅してもいいけれども、その分だけ、何かクオリティの高いものを出してくださいということです。ストレスマネジメントと生産物のほうがはるかに重要であって、労働時間で区切ってもなんにも意味はないのです。僕が「残業禁止」を批判し、「ワークライフバランス、くそくらえ」と言っているのは、こうした理由があるのです。

よく、何かストレスマネジメントでおすすめはありますか？　と言われるのですが、個人として、ストレスマネジメントのために力を入れているのは、筋トレです。

適当なことを言うなと怒られるかもしれませんが、筋トレこそが、わかりやすいバイタルチェックになります。なぜなら筋トレを楽しくできるくらいのメンタルがあれば、それは病的なメンタル状態ではないと推測できるからです。だいたいメンタルを壊してしまった人は、まず筋トレをする気がなくなってしまいます。また、体を動かし、適度な負荷をかけることは予防医学の観点からしても重要ですし、心身にかかるストレス状態を把握するには、体のほうが指標としてはわかりやすい面があります。

「ワークアズライフ」の時代には、運動も含めて、自らのストレスをマネジメントできるかどうかが、クリエイティビティと生産性を決定づけるのです。残業禁止などは本質ではないのです。

恐竜型企業と哺乳類型企業

「ワークアズライフ」と並んで、これからの働き方のキーワードとなるのは「仕事のポートフォリオマネジメント」です。今後は、終身雇用も年功序列も終わりを告げます。ひとつの会社で働き続けるのではなく、百姓として複数の仕事を行いつつ、さまざまな会社やさまざまな人たちと一緒に働くのが普通になるのです。

今までの会社の働き方は、基本的には新卒でどこかの会社に就職した後、その会社のラインに乗っていくというのが慣例でした。新卒として入社した最初の就職先で、キャリアを積み上げて、出世を目指していくルートです。しかし、この働き方では、入社時点で年収の大枠が決まってしまいます。メーカーに入った人よりも、金融機関に入った人のほうが年収のレンジが高いので、学生はみんな銀行や投資銀行やコンサルティングファームを目指してしまいます。

逆にいうと、メーカーの人は年収のレンジが低すぎて、今の会社から離脱できなくなってしまいます。たとえば、トヨタからほかのメーカーに転職して、トヨタ以上の年収を稼ぐのは結構大変です。トヨタを辞めて、金融業界に途中から行っても、出世するのは容易ではありません。だからこそ、トヨタの人たちは、ほかの会社に移るという選択肢を選びにくいのです。

こうした会社のシステムは、「採用した人材を流出させない」という点は正解なのですが、「イノベーションを起こす」ことには向いていません。本当は、いろんな人材が会社に入ってきたほうが、イノベーションが生まれやすいのですが、日本の企業では人材が滞留してしまいます。経営陣からすると、臨機応変に時代やプロジェクトごとに人を組み合わせて、人材のポートフォリオマネジメントを組むことができないのです。

そして気がついたら、日本の多くの大企業は、でかくてのろい恐竜みたいになってしまいました。この状況を打開するためにも、「どうやって哺乳類型の小さくてフットワークの軽い企業をたくさん創り出して、恐竜型のでかい企業とつなげて、これまでと違うイノベーションを起こせるか」を考えなければなりません。

僕が言いたいのは、哺乳類型の新しい企業が、恐竜型の古い企業を食いつぶすべきということではありません。むしろ、哺乳類型が恐竜型と組んだり、恐竜型が哺乳類型を買ったりしながら、一緒に製品を生み出していけばいいのです。これが、俗に言われるオープンイノベーションです。

では、そのために何が必要なのでしょうか。まずやるべきは、大学への投資です。今、若くて、元気があって、専門性の高い若者が一番集まっているのは大学の研究室です。とくに博士号を取って新しいテクノロジーの開発に挑んでいる人たちは、大学か会社の研究所にしかいません。ですから、企業は大学の研究室や、研究室から生まれてきたベンチャーに投資したほうがいいのです。とくに体力のある上場企業は、こうした大学やベンチャーへの投資を率先してやっていかないといけません。大企業は新しいベンチャーに投資をして、かつ、そのベンチャーをフットワークが軽い状態で生かしてあげればいいのです。

兼業解禁と解雇緩和をセットにせよ

こうした時代になってくると、個人のキャリアプランとしても、ベンチャーに入ることが賢い選択になります。なぜなら、ベンチャーの株式やストックオプションを保有していれば、上場や買収などでエグジットしたときに、年収レンジが爆上がりする可能性が高いからです。数億円、数十億円、数百億円というレンジも視野に入ってきます。

ベンチャーも選択肢が広いですが、とくに大切なのは、専門性のあるベンチャーに入ることです。なぜなら「会社の専門性＝自分の専門性」になるため、専門性のある会社でキャリアを磨けば、市場価値が上昇しやすくなるからです。

今後のキャリアマネジメントを考えると、ベンチャーに就職したり、大企業からベンチャーに転職したり、ベンチャーから大企業に戻ることは普通になっていくでしょう。その流れを加速させるために重要なのは、兼業の解禁です。たとえば、ベンチャーとしては、ベンチャーをちょっとだけ手伝ってくれる大企業の社員がいたらありがたいでしょう。大企業の社員としても、会社を辞めてベンチャーに就職するのはリスクが大きくても、兼業であれば挑戦しやすいでしょう。

そして何よりも、兼業を可能にすることによって、人材が流動しやすくなります。さらに今の解雇規制を緩和して、企業が人のクビを切りやすくしたら、流動性はいっそう高まります。兼業可にするだけでは、優秀な社員ほど社外に流出して、だめな社員ほど会社にしがみつくおそれがあります。それでは、会社が傾きます。兼業解禁はクビを切りやすくすることとセットでないといけません。

これからの時代は、囲い込みという概念は無駄です。それよりも、人を流出しやすくして、新しいコラボレーションが生まれやすくしたほうが、イノベーションが生まれて、日本のGDPが上がることにつながるのです。

士農工商を復活させよ

コラボレーションがなぜいいかというと、信用創造を通じて、経済全体のお金を増やすことができるからです。これは第4章の「日本再興のグランドデザイン」で話した、ブロックチェーン、トークンエコノミーによる信用創造と同じです。

これまでは銀行が貯金や融資の仕組みを通じて信用創造を行ってきましたが、今後はブロックチェーンを生かして、個人と企業がつながることによって、信用創造が可能になるのです。

たとえば、「落合陽一×堀江貴文」の会社のようなものをつくったら、一気に投資家からお金が集まるかもしれません。僕と堀江さんの掛け算によって、今までにない価値が生まれて、単独で事業を行うときよりも大きな信用が創造されるでしょう。こうしたコラボレーションがいたるところで起きるような社会経済のシステムを組み立てていくべきです。

そのためにも、社員が社外とコラボレーションしやすくするように、社員という概念自体をゆるくしないといけません。極端にいうと、みんながアルバイトやフリーのコンサルタントや非常勤の役員になるようなイメージです。

働かないおじさんを多く抱えている部署があれば、分社化して、社則を変えたほうがいいでしょう。兼業を可能にする代わりに、解雇を可能にするのです。「兼業の自由は与えますので、今の待遇に不満があるのであれば、ほかのところで働いて稼いでください」というふうにするのです。分社化して副業解禁になるということは、クビになる一歩手前だと思ったほうがいいです。

働かない人たちを分社化して外に出して、コア人材だけを会社に戻すという取り組みは一部のメーカーでは行われていますが、今後、この流れは加速します。絶対に人のクビは切らないと言っているトヨタでさえ、僕はこれから変わると思います。

トヨタは以前、「FUN TO DRIVE（運転する喜び）」を掲げていましたが、それは自動運転の時代には弊害になってしまいます。人が楽しく運転することにこだわっていては、自動運転の流れに対応していけません。トヨタはロボットと自動運転で勝てれば、これからも世界をリードする一流企業であり続けられます。そのためにも、雇用の確保にこだわらず、だめなホワイトカラーたちは外に出していかないといけないのです。

そもそも、トヨタのいいところは、士農工商的な給与制度になっているところです。いわゆる職人さん、工場で働いている「工」の人たちのほうが、オフィスで働いている「商」の人よりも給料が高くなることもよくあります。それはカルチャーとしてすばらしい。そうした職人さんを大事にしながら、働かないホワイトカラーを追い出していくことが、トヨタのコミュニティとして重要だと思います。士農工商を新しい時代に合った形で強化していくべきなのです。

働かないホワイトカラーが企業の足を引っ張っていることは、データを見れば明白ですから、トヨタに限らず多くの大企業がホワイトカラーにメスを入れ始めるはずです。

今、どこの会社でも、圧倒的にＧＤＰを下げているのはホワイトカラーのおじさんたちです。彼らのレーゾンデートルは文句を言うだけ。暇なので無駄な社内政治や抵抗するだけに時間を使っています。こういう人たちは、経済と人口が成長を続けていた昭和の時代には少なかったのですが、人口の逆転問題によって生まれてきた不思議な人たちです。こうした「ホワイトカラーおじさん」が大企業からいなくなることによって、日本企業の業績が一気によくなるはずです。

「ホワイトカラーおじさん」の生かし方

では、「ホワイトカラーおじさん」はこれからどう生きてもらえばいいのでしょうか。百姓として、複数の企業で、事務処理的な作業をやってもらえばいいのです。

世の中には、人手が足りずに、名刺の整理や経費精算のためのレシート整理やクレーム処理といった事務処理がこなせない企業がたくさんあります。こうしたルーティーンはいずれAIがやってくれるようになるでしょうが、それにはまだ時間がかかりますし、コストもかさみます。当面は人に頼んだほうが効率的です。つまり、AI時代への過渡期には、ルーティーンを担当する人がいないと事業が成り立たないのです。

しっかりメールが打てて、電話の受け答えができて、お礼の手紙が書けて、事務作業を効率的にできて、新人を育成できる——そうした人材はとくにベンチャー企業に足りません。だからこそ、「ホワイトカラーおじさん」たちは、兼業してベンチャーで働けばいいのです。1社5万円でも10社やれば50万円稼げます。

ベンチャーは、どうしてもイケているベンチャー同士で組もうとしますが、ベンチャー同士では仕事はうまくまわりません。僕は、社員の5人に1人は守りの人を入れろといつも言っていますが、それは仕事が超早く進むからです。ベンチャーも攻めの人材ばかりでなく、守りのうまいおじさんを入れたほうがいいのです。

根回しがうまくて、事務処理能力が高くて、オレオレではなくて、年収レンジが高くないおじさんは、ベンチャーにとって極めて有用です。僕の会社もそういう人材が欲しいですし、周りのベンチャーでも同じ声をよく聞きます。大企業のホワイトカラーおじさんをベンチャーに斡旋(あっせん)するサービスがあれば、きっとニーズはあるはずです。

ホワイトカラーおじさんたちも、自分たちに向いた仕事を与えられたらきっと輝き始めるでしょうし、成長しているベンチャー企業で働けるのはけっこう楽しいはずです。成長に自分も関与しているんだ、とどや顔で言えますから。

要は、ホワイトカラーおじさんは、大企業での活用が難しいだけで、世の中全体では生かしようがあるのです。大企業は、ホワイトカラーおじさんが気持ちよく外に出ていけるように、オープンイノベーション事業部、特任社員といったかっこいい部署名や肩書をつけて、気持ちよく送り出してあげればいいのです。

企業でイノベーションを起こすには、次々と新事業を起こすシリアルアントレプレナーも必要ですが、そうした人をサポートするシリアルフォロワーも必要です。しかし、ベンチャーの経営陣や採用担当は攻めの人が多いため、つい同じタイプばかりを評価し攻めの人材ばかりを採用してしまいます。大事なのは攻守の人材バランスです。会社のフェーズに応じて、攻守のバランスをうまく調整可能にするのが理想なのです。

たとえば、ディズニーランドのいいところは、清掃作業員の人も誇りを持ってディズニーランドで働いていることです。そういう人事採用の仕方を考えていかないと、ベンチャー企業は大きなインパクトを出せず、日本再興に寄与することができません。

つまり、大企業からディフェンダー人材が市場にリリースされれば、大企業の風通しがよくなって若手が活躍しやすくなるだけでなく、ベンチャー企業も成長しやすくなるのです。まさにいいことずくめです。

これが日本経済・再興戦略のひとつ目の柱です。

フランスの男女平等を真似するな

ホワイトカラーおじさんが社外にアウトソースされると、会社内での男女差はかなりなくなるはずです。男性的な価値観が強いおじさんが抜けて、男女差の意識が薄い若い世代が中心になれば、男女がフェアに働きやすくなると思います。

僕もアメリカのマイクロソフトで働いてみて初めて、日本には女性差別があるんだなと気づきました。女の子だからという話が日本にはたくさんあります。

ただ、僕は男女を平等に扱うべきという西洋的な考えにはくみしません。大事なことは、男女には差がないと考えるのではなく、差を認めた上でフェアに扱うことです。

日本人のいけないところは、フランスを妙にかじっていることです。フランス人の考え方の中で、僕が一番の社会悪だと思っているのは、男女平等です。何でも男女でフィフティ・

フィフティという考え方です。フランス人はすべてのものをフィフティ・フィフティにしたがるのですが、それが多くの日本人にはかっこよく見えているのです。

しかしながら、すべてを、男女でフィフティ・フィフティにしようと思うことはフェアではありません。たとえば、日本社会では子育ては女性が中心で、男性はあまり手伝いませんが、そこは半分くらいしょうがない面もあると思います。子どもと母の身体的なつながりを考えると、子育ては母乳が出る母が主に担当したほうが、合理的な面もあるからです。母乳だけは男性が女性に代替するのは不可能です。

逆に、消費活動の半分が女性によって行われているのにもかかわらず、今のように経営やマーケティングが男性中心になっているのはフェアではありません。地方の消費活動は女性が中心になっている地域が多いので、その地域の経営やマーケティングや議会は女性のほうが多くていいと思います。商品面でも、化粧品会社のマーケッターがおじさんばかりというのはまったく理解できません。そういうふうに、ケース別に多様性がある形にしないと、無意味な「男女フィフティ・フィフティ」が増えてしまいます。

本当に重要なのは、男女の比率を自由に変えられることです。市場原理に対応しながら、男女比率を1対9にしたり、9対1にしたり、アクロバティックに変えられるようにすることです。全部、市場原理にしていけば、男女がフェアに扱われやすくなって、女性が活躍しやすくなるはずです。男女はフィフティ・フィフティでないと、差別だと思ってしまうこと自体が間違いなのです。

「男女のフェアな扱い」こそが、日本経済・再興戦略の2つ目の柱になります。

年功序列との決別

「ホワイトカラーおじさんの社外アウトソース」「男女のフェアな扱い」に続く、日本経済・再興戦略の3つ目の柱が、「年功序列との決別」です。高度経済成長期の日本では、年功序列というシステムがうまくかみ合いましたが、もう年功序列とは「さよなら」しないといけません。

そもそも、高度経済成長以前の日本は年功序列ではありませんでした。江戸時代も年功序列では全然ありません。年功序列は日本の伝統ではないのです。

たとえば、歌舞伎役者の世界は年功序列ではありません。序列を決めるのは、あくまで実力と人気です。日本が年功序列になったのは、本質的には、全員が同じ時間系列で近代教育を受けるようになったことに起因していると思います。全員が似たような紋切り型の教育を年次に従って受けているので、自然と年功意識が生まれるのです。もし各人が多様な教育を受けていたら、今のようにはなっていなかったでしょう。

今の年功序列社会を解体するには、全員が一挙に学校教育を受ける今のシステムとは異なる問題設定とコミュニティデザインが求められます。

これは慣れによって変えることが可能です。みんな慣れているからです。僕の会社は社長の僕がもっとも若いですが、そこに違和感はありません。みんな慣れているからです。大学にもギャップイヤーを設けて、一定期間、学校教育のレールから外れれば、年功序列の意識も薄れるはずです。浪人してもいいし、留学してもいい。そうして年次がずれるのが普通になっていけば、ずれることに慣れていくはずです。

そして、学校と同じように、企業でも年次主義を壊していけばいい。とくに、年次主義が強いのは、官僚、銀行、大学、新聞社などのマスメディアです。こうした影響力を持っている業界で年次主義が薄れていけば、日本全体に広がりやすくなると思います。

これから大企業のような画一的なコミュニティが崩れていく中で、日本人にとって大事になってくるのは、コミュニティ選びです。

会社にしろどんなコミュニティにしろ、10人であれば全員でご飯を食べられますし、50人であれば全員のことを認識できますが、１００人を超えると誰が誰だかわからなくなってきます。自分が属するべきコミュニティは、10人の家族レベルなのか、50人のクラスメートレベルなのか、100人かそれ以上の団体なのかを考えないといけません。とくに、コミュニティが大きくなると自分とのつながりを感じにくくなりますので、直接自分で貢献できるような、小さめのコミュニティのレベルでものを考えられることが大切です。

今後は、社会が流動的になって、いろんな人とコラボレーションすることが増えますので、より自分の土台を意識したほうがいいでしょう。その意味では、僕が日本人に関して楽観的なのは、日本人は中道が得意なことです。もともと、バランスを取るのがうまいのです。

それなのに、最近の日本人は、いつのまにかバランスを取るのがめちゃくちゃ下手になってしまっています。イノベーションという言葉を掲げるばかりで、日本の文化や社会制度の理解が浅いために、単純に西洋を真似するといった極端な方向に振れてしまっています。大事なことは、日本の土台にある文化や社会制度をしっかり理解した上で、バランスがいいイノベーションのあり方を考えることです。

「欧米」という幻想から抜け出し、日本の原点を見つめ直し、新しい時代に合った会社、仕事、コミュニティのあり方に適応していく。それができれば、日本の経済は、間違いなく復活するはずです。

「近代的人間」からの卒業

最後に、近代が規定する人間ということについてもう少し掘り込んでみましょう。社会VS個人という観点からいうと、「人間性」という点で大きな変化が訪れるはずです。

僕たちは今、「機械VS人間」という対比と時間単位で定義された近代的生産社会の次のフエーズに進もうとしていて、今後は、「近代的人間らしさ」と「デジタルヒューマンらしさ」の対比がはっきりしていくと思います。

「近代的人間らしさ」と「デジタルヒューマンらしさ」とは、簡単にいうと、主体からなる「生成的な物語」であるか、「逐次的即時的な物語」であるかという違いです。

神山健治さんが監督を務めた『攻殻機動隊』という作品を見るとよくわかるのですが、「自分とは何なのか」「どういう主体なのか」という深掘りから生まれてくるアクションを繰り返すのが、「近代的人間らしさ」です。すでにゴールがあって、それに向かって戦うというイメージです。個性や個人という言葉は標準的人間を規定した後に存在する言葉です。

それに対して、同じ神山さんが監督する『ひるね姫』では、とりあえず目の前のものをやってみたら、結果が出て、やってみたらまた結果が出て、というのを積み重ねて、最終的に話が終わるというストーリーなのです。

ここに自らの深掘りによる生成的物語は存在せず、ストレスマネジメントのうまい、性格のいい主人公が逐次的にやれることを積み重ねていった結果うまくいくというストーリーになっています。今の時代において、前者の生成的物語より後者の物語のほうがリアリティがあるのです。

それがソフトウェアとハードウェアの対比や、人間労働をベースとした機械化とプログラムのかける魔法使いとのギャップ、生成的な物語と即時的な物語の違いとして描かれていて、題材が「自動運転」というのはいかにも日本的で面白いお話でした。

要は、我々は〝わらしべ長者〟のことをなめていたのです。逐次的にやっていくことが重要であり、機会をうかがって動き出さないことには、ただの機会損失になってしまっているということなのです。

近年「意識高い学生」という言葉がよく言われますが、「こういった意識だけ高い学生」は、見聞きしてSNSに呟くだけでやったつもりになってしまうので、わらしべ長者のように逐次的に打席に立つことを敬遠します。その泥臭い作業が自分にとって見合わないように見えてしまうのです。本人の実力はそのレベルなのにもかかわらずです。

「自分探し」より「自分ができること」から始める

今は技術革新やインターネット上での最先端技術の創発速度が、人間の学習スピードより速い時代です。だからこそ、今できることをやり続けないと、よっぽど勘のよい人でない限り、「将来的にこうなるから、こうだ」みたいな予測をすることは意味がありません。そこがすごく大事なカギだと思います。

コンピュータービジョンやディープラーニングに関するコミュニティは査読なしでの高速な情報交換をしていますし、ものすごく速い。だからよっぽどじゃないと最先端には追いついていけません。逆にいうと、いつ始めてもビギナーで、そしてあるところまではちゃんと到達できます。

つまり、我々が持っている人間性のうちで、デジタルヒューマンに必要なものは、「今、即時的に必要なものをちゃんとリスクを取ってやれるかどうか」です。リスクをあえて取る方針というものは、統計的な機械にはなかなか取りにくい判断です。ここをやるために人間がいるのです。

言い換えると、近代的な人間性は、「自分らしいものを考え込んで見つけて、それを軸に、自分らしくやって生きていこう」という考え方であり、デジタルヒューマンは、「今やるべきことをやらないとだめ」という考え方だと考えます。要は、タイムスパンが全然違うのです。そして、やったことによって、自分らしさが逆に規定されていきます。

この対比はまだあまり理解されていないかもしれませんが、MITメディアラボ所長の伊藤穰一さんも「革新的なことをしたいなら『ナウイスト』になろう」という動画の中で同じ趣旨のことを言っていました。時代の先頭を走る人々の方針として、言葉は違っても共通するものがあるので、たぶん正しい方向性なのだなと思っています。

よく学生さんにアドバイスを求められるときに言うのですが、これからの時代は、「自分とは何か」を考えて、じっくり悩むのは全然よくありません。自分探し病はだめな時代です。それよりも、「今ある選択肢の中でどれができるかな、まずやろう」みたいなほうがいいのです。

モチベーション格差の時代

ひとつ大事なことは、「べき論」で語るべきところと、「べき論」で語るべきでないところを、きちんと分けることです。時代にとって合理性があること、つまり「するべきこと」と、時代にとっては合理性がないけれども、自分にとって文化的許容度があること、つまり「やりたいこと」の2つを分けないといけません。そうでないと、何がしたいのかよくわからなくなってしまいます。「自分がそれをしたいのか」、それとも、「自分がそれをできるのか」「するべきなのか」の区別は絶対につけたほうがいい。

なぜなら、自分ができることから始めないと、何がしたいのかが明確にならないからです。ニッチ戦略で生存戦略として採択可能な手法＝「べきで語れること」とするなら、時代を読めばある程度のテクノロジー的「べき」は見つかります。

たとえば僕の場合は、時代性においてはコンピューテーションができるから、コンピューテーションによるエジソンとフォードの更新をテーマに、オーディオビジュアルと運転と生産方式の変化をテーマにしています。アーティストとしては、フェティシズムを極めているので、幽玄性や山紫水明といった日本的古典価値観を、透明やかすかなもの、ビジュアルモチーフが接続されていないものでつくる、といったことばかりをしています。

そのどちらも評価されていて、嬉しいことは嬉しいのですが、「自分がそれをしたいから」やっているのか、「自分がそれをできるから」やっているのかをしっかり分けて考えないといけません。

これからの時代においては、いろんなリスクばかりを考えて、なかなかチャレンジできないと、機械と同質化する一方になってしまいます。そういう人たちは、ベーシックインカムに呑み込まれるしかなくなります。

最近、僕は「人類のよさは、モチベーションだ」とよく言っています。リスクを取るほどモチベーションが上がるというのは、機械にはない人間のよさなのです。

機械は正規分布の中にしか吸収されないので、リスクを取るほどモチベーションが上がる状態というのは、統計の中では出てきません。この「リスクを取る」ということが機械はすごく苦手ですから、人間はそこを強くしないといけません。

革命というのはモチベーションの塊です。統計の中からはなかなか出てこない結論です。ただ、モチベーションは、文化資本の再分配関係にものすごく依存しています。モチベーションを生むコンテクストは、文化から生まれます。

たとえば公立中学校でも、隣の家が1000倍収入が多い状況はあまり発生しませんが、「隣の家には本が1冊もないけれども、うちには本が1000冊ある」という格差は普通に発生しています。これは貧富の差よりも大きい差が生まれているということです。

我々の社会では、資本の格差が語られることが多いですが、今後は、モチベーションの格差、文化の格差をどう埋めていくかが大きなキーワードになるはずです。これは、機械と人間の融合をした上で、機械学習で最適化できないイノベーションのタネを人間側に探る方法なのです。

サイエンス、テクノロジーアート、エンジニアリング、デザイン、フィロソフィー……人の培ってきた営みに敬意を払いながら、要素を時代に合わせて更新していく。自分のバックグラウンドとコミュニティに対する帰属意識、そして、時代に対しての貢献があることが、文化やモチベーションといった文化的資本の原動力になるはずです。

そんな一助にこの本がなることで、日本再興のためのビジョンのひとつになれば、この上ない喜びです。

おわりに：日本再興は教育から始まる

僕が筑波大学を辞めて大学に再就職した理由

「手を動かせ。モノを作れ。批評家になるな。ポジションを取った後に批評しろ」

僕は研究室の学生によくそう言っています。悩んでばかりでは意味がない。とにかくまずやってみる。その繰り返しの末にオリジナリティが生まれ、世の中を変えることができる。それが僕の伝えたいメッセージです。

本書で僕が提言した日本再興戦略も実行に移さなければ意味はありません。いかに僕の思想、戦略を広げて、実行していく人を増やしていけるか。そこが勝負です。

僕自身、戦略を提言するだけでなく、自ら新しい産学連携のスタイルに挑戦し、日本再興戦略を体現していきます。

その第1弾として、僕は2015年にピクシーダストテクノロジーズという、僕の研究を社会実装するためのベンチャーを起業し、2017年10月には6・4億円の出資を受けました。

そして第2弾として、2017年の12月1日に、僕は筑波大学の助教を辞めました。それと同時に、筑波大学内に「デジタルネイチャー推進戦略研究基盤」を設立し、基盤長・准教授に就任しました。

これは僕なりの日本の大学再興のための挑戦です。国立大学の教員という安定した地位をいったん捨てて、国立大学の中に自らが経営する研究所をつくったのです。国立大学から給料をもらうのではなく、自分で企業などからお金を集めてきて、自分の会社から自分に給料を払うというシステムに変えました。これは日本の国立大学において初めての試みです。

国立大学の教員は、いったんテニュア（在職権）をとれば、定年まで大学に居座れます。大学側が教員をリストラすることは不可能ですので、何年も論文を書いていない教授もいます。企業と共同研究する場合も、企業側はリスクをとりますが、教員側は職を追われるわけではありません。つまり、教員側は全然リスクをとらなくていい仕組みなのです。

ではどうすれば、国立大学の教員がもっとリスクをとって、フレキシブルに産業応用の社会実装をしたり、学生の教育をしたりできるのか。国立大学の中に、企業と密接に組んだ研究機関を打ち立てられるのか。それを考え抜いた末にたどりついたのが、今回のスキームです。

これまで国立大学の教員を縛っていたのは、テニュア制によるリスク回避と利益相反の問題です。国の税金から給料をもらっている人が私企業と共同のプロジェクトで働いていいのか、という問いです。

この問題に対する解決策はシンプルです。国から給料をもらわず、自らの企業を立て、大学を離れ、そして大学と対等に契約を結び、新たに就職すればいいのです。

僕は自分の給料を自分の会社から払う。研究室には、大学と民間企業がフェアな形で出資する。大学は施設や設備を提供し、学生を研究室にアサインしてくれる。民間企業はお金と人材を送り込んでくれる——そうすれば、大学の研究者と企業の研究者がフェアな立場で共同研究や教育を行い、優れた研究成果を生み出しやすくなります。僕たちの研究室が、企業と社会にメリットのある研究成果を出し続けられれば、研究室の規模を大きくしていくことも可能です。

しかも、この新スキームであれば、研究室で働く学生にも賃金を払えます。今の国立大学の問題点は、大学生がタダ働きをさせられることです。共同研究で企業からお金をもらっても、それは大学の懐に入るだけで学生に還元されません。アメリカでは、共同研究の資金で学生を雇うことができるのに対し、日本はボランティアベースで学生が働いていることが多いのです。

新しいスキームの下では、学生がもっと柔軟に働けます。これまでのような日本型のボランティアスタイルの大学院生も働けますし、アメリカ型の給料をもらえる学生も働けます。いろんなタイプの学生や研究者が混ざり合いながら、共同研究ができるのです。

僕の始めたスキームがほかの研究室にも広がっていったら、きっと日本の国立大学は変わっていくはずです。すでに今回の発表後に、有名な先生たちから「同じことをやりたいからスキームを教えてくれ」と問い合わせがありました。今後も僕は大学再興のための新しい試みを発表していきますので、ぜひ期待していてください。

僕が学生に投資をする理由

僕が大学という場にこだわり、大学での研究・教育に時間を割くのには理由があります。「教育して仲間を作らないとグランドデザインを実行することはできない。時代の変革は教育から始まる」と信じているからです。

僕が今もっとも投資をしているのは、学生の人材教育です。僕のラボには45人の学生がいますが、この規模は国立大学の中で相当でかいです。当初は5年間で50人を育てることを目標にしていたのですが、今は4、5年で最大100人まで育てようと思っています。もし落合マフィア（PayPal マフィアのメタファーです）が100人育てば、明らかにとがった変な人間が社会に溢れることになります。その人たちが生む資産価値や市場価値は異常に大きくなるはずです。

人間への投資はもっとも価値が高い投資です。企業の寿命はどんどん短くなっていますが、人の寿命はどんどん長くなっています。一人の学生を育てれば、その学生が長期間にわたって世の中に対して価値を生み出してくれます。時代の転換期においては、学生を育てるほうが早いですし、効果的なのです。だからこそ僕は、世間の投資家が学生には見向きもしない中、学生を投資価値があるところまで育て上げることに意味を感じているのです。

きっと吉田松陰も福沢諭吉も、同じような思いで私塾を立ち上げたはずです。松下村塾や慶應義塾への投資効果は圧倒的です。明治の偉人たちは、ほとんどがこの2つの塾から生まれています。明治期や現在のような時代の変革点において本質的に必要なのは、投資価値のある人間を育てることなのです。

よく現役を引退した後に教育に携わる人がいますが、むしろ若いときにこそ、後進の教育に力を入れたほうがいいと思います。僕が今、学生に投資すれば、学生が育っていくときに僕も育っていくので、一緒に時代を変えていくことができるからです。

時代が変わるときには、とにかく人を集めないといけません。同じ意識を持っている優秀な人間を増やさないといけません。そうして僕の弟子が横に広がり、僕の考えが世の中に浸透すればするほど、僕と僕の弟子には有利になっていきます。だからこそ僕は、寝る間を惜しんで、学生に教えたり、テレビに出演したり、本を書いたり、講演をしたりして、「日本再興戦略」を訴えているのです。

僕がポジションを取る理由

僕は「日本再興戦略」とは、改革や革命ではなく、アップデートだと思っています。

改革や革命は対抗勢力を生み出します。勝者と敗者を生むゼロサムゲームに陥ってしまいます。そうではなく、今の世の中と違う考え方を出しながら、今の世の中とどう折り合っていくかが重要なのです。そのためには、今パイを持っている人たちをさらに儲けさせてあげられるような枠組みを考えてあげないといけません。

ライブドアによるニッポン放送買収計画も、その本質は、テクノロジーを使ってテレビの世界をアップデートすることにありました。堀江さんの考えはとても先進的でしたし正しかった。しかし、目指すゴールがうまく伝わらずに、敵対的な買収のほうばかりが報じられたことが不幸でした。

ベンチャー企業は、既存のパイを奪おうとすると既存勢力に敬遠されがちですし、世の中へ大したインパクトをもたらすことができません。一方、市場全体を広げるためのテクノロジーを発明したベンチャーは、既存勢力とタッグを組んで、ビジネスを拡大することができます。

たとえば、ＡＩベンチャーのプリファードネットワークスは、２０１７年８月にトヨタ自動車から約１０５億円の追加出資を受けて、共同の研究・開発を進めています。大企業にＡＩというテクノロジーを提供することで、新しい価値を生み出すという理想的なモデルです。テクノロジーを生かせば、ゼロサムゲームではない形で、新規市場を開拓することができるのです。だからこそ、僕はテクノロジーベンチャーにしか投資しませんし、自分もテクノロジーベンチャーしかやりません。

日本発のテクノロジーベンチャーをたくさん生むために大事なのが、大学の教育と研究です。企業から投資をもらって、新しい分野に学生を送り込んで研究をさせたら、思いもよらぬ化学反応が起こって、大きく飛躍するかもしれません。市場の既存の法則を打ち破るかもしれません。そうした新しい発見が生まれれば、市場全体が拡大します。誰も損しません。そうしたみながハッピーになるテクノロジーを生み出すことにこそ、我々は力を注ぐべきなのです。

日本のグランドデザインを考える際、かつては政治が主体でしたが、今後は産業と教育が一体になった生態系をどう作れるかがカギとなります。その最先端の実験場として、僕はラボと会社を運営しています。

僕のラボでは60プロジェクト、僕の会社では40プロジェクトが同時に走っていて、毎日ひいひい言いながらも走り続けています。言うは易く、行うは難し。考えているだけではダメです。とにかくやってみることからすべてが始まります。大外れするものもあれば、圧倒的にうまくいくこともあります。自らの道を選択し、迷いながらも手を動かすと、肌感覚としていろんなことがわかってきます。

読者のみなさんにあらためて言いたいのは「ポジションを取れ。とにかくやってみろ」ということです。ポジションを取って、手を動かすことによって、人生の時間に対するコミットが異常に高くなっていきます。

ポジションを取るのは決して難しいことではありません。結婚することも、子どもを持つことも、転職することも、投資をすることも、勉強することも、すべてポジションを取ることです。世の中には、ポジションを取ってみないとわからないことが、たくさんあります。わかるためには、とりあえずやってみることが何よりも大切なのです。

「ポジションを取れ。批評家になるな。フェアに向き合え。手を動かせ。金を稼げ。画一的な基準を持つな。複雑なものや時間をかけないと成し得ないことに自分なりの価値を見出して愛でろ。あらゆることにトキメキながら、あらゆるものに絶望して期待せずに生きろ。明日と明後日で考える基準を変え続けろ」と、以前Twitterに書きました。

これが僕から読者のみなさんへの最後のメッセージです。

日本人の多くがビジョンを共有し、トライアンドエラーのマインドセットに切り替えられたとき、日本は間違いなく再興し、そこには限りなく明るい未来が広がっていると信じています。

落合陽一

日本再興戦略

2018年1月30日　第1刷発行
2018年2月10日　第3刷発行

著者
落合陽一

発行者
見城 徹

発行所
株式会社 幻冬舎
〒151-0051 東京都渋谷区千駄ヶ谷4-9-7
電話　03(5411)6211 [編集]
　　　03(5411)6222 [営業]
振替　00120-8-767643

印刷・製本所
中央精版印刷株式会社

ISBN978-4-344-03217-0　C0095
幻冬舎ホームページアドレス
http://www.gentosha.co.jp/

この本に関するご意見・ご感想をメールで
お寄せいただく場合は、
comment@gentosha.co.jpまで。